Chère lectrice,

Si, pour oublier que l'hiver approche, vous avez envie de retrouver la chaleur et la tendresse des héros de votre collection Horizon, rien de plus simple : ils vous attendent dans les romans que j'ai spécialement sélectionnés pour vous ce mois-ci.

A commencer par Jim Schofield, qui dans *Une chance inattendue* (n°2085), tombe amoureux de la jolie Teresa Tyler, lui qui s'était pourtant juré de rester célibataire toute sa vie... Dans *Sous le charme d'un millionnaire* (n°2086), vous verrez quc, même après huit ans de séparation, l'amour peut toujours être aussi fort, comme le découvrent Sierra Taylor et Ty Garrett... L'amour, ce sentiment qui peut changer le cours d'une vie... c'est l'expérience que fait Gayle Smet, quand elle fait la connaissance de Jack Marin, qui lui révèle avoir eu le coup de foudre pour elle (*Un bébé à chérir*, n°2087)... Enfin, dans *La surprise du destin* (n°208 ... ,
malgré les difficultés ...
et Matthew Hanson a ...
des familles...

Bonne lecture !

La responsable de collection

Une chance inattendue

JUDY CHRISTENBERRY

Une chance inattendue

COLLECTION HORIZON

éditions Harlequin

Cet ouvrage a été publié en langue anglaise sous le titre :
THE TEXAN'S TINY DILEMMA

Traduction française de
CATHERINE BELMONT

HARLEQUIN®

est une marque déposée du Groupe Harlequin
et Horizon® est une marque déposée d'Harlequin S.A.

Originally published by SILHOUETTE BOOKS,
division of Harlequin Enterprises Ltd.
Toronto, Canada

Photo de couverture
Alliances : © DIGITAL VISION / GETTY IMAGES

83-85, boulevard Vincent-Auriol, 75013 PARIS — Tél. : 01 42 16 63 63
Service Lectrices — Tél. : 01 45 82 47 47
ISBN 2-280-14502-2 — ISSN 0993-4456

Prologue

Dès que les spasmes qui la secouaient se furent calmés, Teresa Tyler étudia son reflet dans le miroir de sa salle de bains et laissa échapper un profond soupir.

Quand une violente nausée lui avait serré l'estomac sept jours auparavant, elle s'était crue victime de l'épidémie de grippe qui sévissait au Texas, mais le lendemain matin, lorsqu'elle avait été prise de vertige à son réveil et qu'elle avait failli s'évanouir au pied de son lit, un doute s'était insinué en elle. Un horrible doute qui n'avait cessé de la tarauder tout au long de la semaine…

Les doigts tremblant de nervosité, elle sortit de son sac le test de grossesse qu'elle avait acheté à la pharmacie, puis suivit les instructions imprimées sur la boîte et alla arpenter sa chambre d'un pas fébrile.

— Si je ne m'étais pas entichée d'un égoïste il y

a un mois et que je n'avais pas eu la sottise de me jeter dans ses bras, je ne serais pas en train de me ronger les sangs à l'heure qu'il est, maugréa-t-elle, les yeux soudés au cadran de sa montre. Au lieu d'oublier mes beaux principes et de succomber au charme d'un goujat, j'aurais dû me rappeler que la plupart des hommes étaient incapables d'aimer !

Après avoir profondément inspiré pour se donner du courage, Teresa regagna sa salle de bains avec des gestes d'automate et glissa un regard inquiet vers le petit tube qu'elle avait posé à côté du lavabo.

— Je le savais, murmura-t-elle, effondrée en découvrant le résultat. Je savais que j'attendais un bébé.

1.

Trois mois plus tard

Lorsque la sonnerie stridente de son téléphone la tira du sommeil, Teresa se leva à grand-peine du canapé où elle était allongée, puis saisit le récepteur avec lassitude et le plaqua contre son oreille.

— Ah ! ce n'est pas trop tôt, s'écria sa sœur Tommie à l'autre bout du fil. D'habitude, quand on t'appelle, tu mets moins de temps à décrocher.

— Excuse-moi de ne pas avoir été assez rapide à ton goût. Je m'étais endormie sur le canapé.

— Tu n'es pas malade, au moins ?

— Non, ne t'inquiète pas. Je me porte à merveille.

— Tant mieux, car j'ai eu une idée géniale.

— Comme toutes celles qui germent dans ton esprit, répondit Teresa avec un sourire.

— Et pour cause : je suis quelqu'un de très inventif.

— Inutile de le préciser ! Je m'en étais déjà aperçue. Maintenant que tu as épousé Pete Schofield, je croyais que tu ne penserais plus qu'à roucouler, mais il semblerait que je me sois trompée.

— Le mariage ne transforme pas les gens en imbéciles patentés, tu sais. Bien que j'aie prononcé le « oui » fatidique en juillet dernier, il m'arrive encore de réfléchir.

— A quoi, par exemple ?

— A notre famille. En feuilletant mon agenda hier après-midi, je me suis rendu compte que je ne t'avais pas vue depuis des semaines. Alors j'ai décidé de t'inviter à dîner. Pourrais-tu venir à la maison ce soir ? Maman, Joël et Tabitha seront là, eux aussi.

— Quand leur as-tu téléphoné ?

— Il y a une demi-heure. J'ai également appelé la mère et le frère de Pete et ils m'ont dit qu'ils seraient enchantés de se joindre à nous. Il ne me reste donc que toi à convaincre, Tess.

— Désolée, Tommie, je... j'ai d'autres projets, balbutia la jeune femme. Il faut que je termine le cinquième chapitre de mon livre et que je mette un peu d'ordre dans mes...

— Ne te donne pas la peine de chercher des prétextes ! la coupa sa sœur. Je n'en accepterai aucun.

« Et voilà ! songea Teresa, qui n'avait pas encore révélé à ses proches qu'elle était enceinte. Le moment que je redoutais le plus est arrivé. »

— Bon, c'est d'accord. Je veux bien assister à la petite réunion que tu as eu l'idée « géniale » d'organiser, lâcha-t-elle, les doigts crispés sur le combiné du téléphone. Mais à une condition.

— Laquelle ?

— Que tu viennes déjeuner à la maison avec Tabitha, aujourd'hui. J'ai une nouvelle à vous annoncer et je n'aimerais pas le faire en présence de ta belle-famille.

— Je vais téléphoner à Tab et lui dire que je passerai la prendre vers midi, répondit Tommie.

— Merci. Je suis impatiente de vous revoir, toutes les deux.

Après avoir raccroché, Teresa retourna s'allonger sur le canapé et soupira à fendre l'âme.

— Je me demande ce que penseront maman et les autres quand je leur avouerai que j'attends un bébé dont le père n'a aucune envie de fonder un foyer, marmonna-t-elle en calant sa nuque contre l'un des accotoirs du sofa et en essayant d'endiguer la vague de panique qui menaçait de la submerger.

— As-tu eu l'occasion de parler à Teresa ces trois derniers mois ? lança Tommie à Tabitha avant de mettre son clignotant et de s'engager dans Westside, le quartier où habitait leur sœur.

— Non. Depuis qu'elle a décidé d'écrire un livre, elle est tellement occupée que je n'ose pas la déranger. Ce ne doit pas être facile de faire la classe à des gamins turbulents et de passer ses soirées à pianoter sur le clavier d'un ordinateur.

— Tu crois qu'elle est toujours enseignante ?

— Naturellement ! Pourquoi as-tu l'air d'en douter ?

— Parce que l'un des employés de Pete a inscrit son fils à l'école où Teresa est censée travailler et qu'il ne l'y a jamais aperçue.

— Peut-être a-t-elle été mutée ? Comme les institutrices ne gagnent pas des fortunes, des dizaines de postes sont encore vacants dans la région.

— Pete, lui, est persuadé qu'elle a démissionné.

— Si c'était le cas, nous le saurions.

— Rien n'est moins sûr.

— Que veux-tu dire par là ? demanda Tabitha.

— Que nous nous sommes souvent immiscées dans sa vie privée et qu'elle pourrait avoir décidé de nous tenir à l'écart. Chaque fois que j'ai eu envie d'aller frapper à sa porte ces derniers temps et de lui demander de ses nouvelles, Pete m'a conseillé de la laisser tranquille. Il trouve que je suis trop envahissante et que Teresa a le droit d'exister en dehors de sa famille.

— Il est normal que nous soyons très proches d'elle. Nous ne sommes nées qu'à quelques minutes d'intervalle, toutes les trois !

— Je suis entièrement d'accord avec toi. Et comme je suis venue au monde la première, j'estime qu'il est de mon devoir de veiller à ce que mes deux petites sœurs adorées soient heureuses et en bonne santé.

— Lorsque nous étions enfants, tu nous répétais à longueur de temps que tu étais l'aînée et que, s'il nous arrivait quoi que ce soit, tu nous protégerais.

— Bien que vous soyez assez grandes aujourd'hui pour vous défendre toutes seules, je me sens encore responsable de vous.

— Je ne comprends pas que ton mari, qui a lui-même un frère jumeau, t'ait empêchée d'aller voir Teresa. A sa place, je t'aurais incitée à lui rendre visite, au contraire.

— Quand je me suis aperçue que je n'avais pas déjeuné une seule fois en compagnie de Tess ces trois derniers mois, j'ai décidé d'oublier les conseils de Pete et de lui téléphoner.

— Comment l'as-tu trouvée ?

— Bizarre. Elle m'a dit qu'elle avait une nouvelle à nous annoncer et elle a raccroché avant que je n'aie pu lui poser la moindre question.

— Ce n'est pas son genre de faire des mystères, remarqua Tabitha.

— D'où mon inquiétude.

— Espérons qu'il ne lui est rien arrivé de grave.

— Encore un peu de patience et nous serons fixées.

Après avoir garé son cabriolet flambant neuf sous les fenêtres de Teresa et sauté à bas de son siège, Tommie entraîna Tabitha vers le perron, puis gravit les marches deux par deux et enfonça le bouton de la sonnette d'un doigt déterminé.

— Ah, que je suis heureuse de vous revoir ! s'exclama leur sœur en ouvrant la porte à la volée. Entrez, je vous en prie.

— Nous aussi, nous sommes ravies d'être là, affirmèrent ensemble Tommie et Tabitha. Comment vas-tu ?

— Pas trop mal. Et vous ?

— Le mieux du monde.

— Je croyais que vous aviez perdu l'habitude de parler en même temps, mais je m'aperçois que vous êtes toujours aussi bavardes.

— Toi, par contre, tu as beaucoup changé, observa Tommie après avoir balayé des yeux le jean informe et la tunique ample qu'avait revêtus Teresa. Tu n'aurais pas pris un peu de poids ?

— Si.

— Tu devrais faire du sport et entamer un régime, lui conseilla sa sœur. Il paraît que les substituts de repas qui sont vendus en pharmacie permettent de retrouver la ligne sans souffrir de graves carences parce qu'ils sont très riches en vitamines, en sels minéraux et en oligo-éléments.

— Merci de tes conseils, mais je n'en ai pas besoin, répondit Tess. Dans quelques mois, je serai mince comme un fil.

— C'est ce que prétendent les gourmands qui aiment mieux croire aux miracles que de se priver de sucreries.

— Bien que j'adore les babas au rhum et le chocolat, je ne suis pas devenue boulimique, rassure-toi.

— Pourquoi as-tu grossi, alors ?

Ignorant la question, Teresa invita ses sœurs à

s'asseoir autour de la jolie table habillée de lin blanc qu'elle avait dressée au fond de sa kitchenette, puis sortit de son four la quiche à la mozzarella qu'elle y avait mise quelques minutes auparavant.

— J'ai deux choses très importantes à vous dire, déclara-t-elle en faisant le service.

— Vas-y, nous t'écoutons, rétorquèrent d'une seule voix Tommie et Tabitha. Que s'est-il passé d'extraordinaire dans ta vie ces derniers temps ?

— J'ai demandé un congé sabbatique à mon supérieur.

— Un congé sabbatique ! répéta Tommie, les yeux agrandis de stupéfaction. Je me doutais que tu ne travaillais plus à ton ancienne école, mais je pensais que tu avais changé d'établissement.

— Comment te débrouilles-tu pour payer tes impôts, ton loyer et tes factures d'électricité ? interrogea Tabitha avec son habituel pragmatisme.

— Je puise dans mes économies, l'informa Teresa après s'être attablée en face d'elle.

— Et quand comptes-tu te remettre à enseigner ?

— Dès que mon livre sera terminé. J'ai quitté mon poste afin de pouvoir me consacrer à l'écriture.

— As-tu montré ton manuscrit à des éditeurs ?

— Pas encore. Je préfère patienter jusqu'à ce que je sois satisfaite du résultat.

— Et quelle est la deuxième chose dont tu voulais nous parler ? questionna Tommie d'une voix vibrante de curiosité.

Teresa remplit de thé glacé trois verres en cristal et lança tout de go :

— Je suis enceinte.

La foudre tombant au milieu de la cuisine n'aurait pas produit plus d'effet que cet aveu lapidaire.

— Tu vas te marier ? demanda Tabitha, le premier moment de stupeur passé.

— Non, répondit Teresa. Je ne tiens pas à imiter Tommie.

— Pourquoi ? s'étonna cette dernière.

— Parce que le bébé et moi formerons une vraie famille et que nous n'aurons besoin de personne d'autre que maman et vous deux.

— J'avoue que j'ai un peu de mal à te suivre, reprit Tommie. Tu as aimé un homme au point de faire l'amour avec lui, et maintenant que tu attends un enfant de lui, tu refuses de l'épouser ?

— Les choses ne sont pas aussi simples que cela. La nuit où je... où j'ai perdu la tête, je pensais que le grand amour existait, mais je me suis vite aperçue qu'il s'agissait d'une illusion.

— Tu as été triste de ne pas avoir trouvé le prince charmant ?

— Pas tellement, car je savais qu'il était stupide de croire aux contes de fées.

— Qui est au courant de ton histoire ?

— Mme Patterson, ma voisine, et le médecin que je suis allée consulter après avoir acheté un test de grossesse à la pharmacie du coin.

— Lorsque tu diras la vérité à maman, elle va recevoir un choc, remarqua Tommie.

— C'est pour cette raison que j'ai hésité à accepter ton invitation. Je ne voulais pas arriver chez toi ce soir et mettre tout le monde mal à l'aise à cause de mon ventre rond.

— Quand dois-tu accoucher ?

— Dans cinq mois.

— Est-ce le type que tu avais amené à mon mariage qui t'a fait un enfant ?

— De qui parles-tu ? demanda Tabitha à Tommie.

— De ce Roger Machin Chouette qui n'arrêtait pas d'embrasser Tess pendant que les autres invités buvaient du champagne et dégustaient des petits-fours. Tu ne te souviens pas de lui ?

— Si. Il m'avait serré la main dès son arrivée et je ne l'avais pas trouvé très sympathique.

— Moi non plus. Cette façon qu'il avait de toiser les gens du haut de son mètre quatre-vingt-dix m'avait tapé sur les nerfs.

— Combien de temps a duré ta liaison avec ce m'as-tu-vu ? lança Tabitha à Teresa.

— Une… une ou deux semaines seulement, bredouilla celle-ci.

Et, de crainte que ses sœurs ne la bombardent de questions, elle s'empressa d'ajouter :

— Dépêchez-vous de manger ma quiche avant qu'elle ne refroidisse !

« Je n'aurais pas dû accepter l'invitation de Pete et de Tommie, se dit Jim Schofield en frappant à la porte de son frère le soir même. Si Tess est là, je me demande quel accueil elle va me réserver. »

— Pete a de la chance d'avoir épousé une jeune femme telle que Tommie, jeta Evelyn Schofield à son fils dès qu'elle l'eut rejoint en haut du perron. Depuis qu'il lui a passé la bague au doigt, il nage dans le bonheur.

— Il a effectivement l'air ravi de s'être laissé enchaîner, marmonna Jim.

— Cela ne te plairait pas de suivre son exemple et de fonder un foyer ?

— Non. J'aime trop ma liberté pour me mettre la corde au cou.

— C'est dommage, car j'aurais bien voulu avoir une seconde belle-fille aussi charmante que Tommie. Lorsqu'elle m'a téléphoné ce matin, j'ai été très touchée qu'elle ait songé à organiser un dîner de famille et à m'inviter.

— Navré de te décevoir, mais je ne trouve pas que…

Un grincement de gonds l'interrompit.

— Ah, vous voilà enfin ! s'exclama Pete après avoir ouvert la porte du vestibule. Je commençais à m'inquiéter.

— Les autres sont déjà arrivés ? lui demanda Jim en pénétrant dans le hall à la suite de sa mère.

— Oui, tout le monde vous attend. Qu'est-ce que vous fabriquiez ?

— J'ai dû rester à mon bureau plus tard que d'habitude, et quand je suis allé chercher maman à son domicile, il y avait de tels embouteillages que j'ai mis vingt minutes à traverser le centre-ville.

Pendant qu'Evelyn s'engouffrait dans le salon, Pete regagna sa cuisine à grandes enjambées.

— C'est toi qui joues les maîtres de maison ce soir ? se moqua Jim lorsqu'il le vit jongler avec les poêles et les casseroles qu'il avait éparpillées sur le plan de travail.

— Si tu as peur d'avoir l'estomac perforé, riposta son frère du tac au tac, ne t'en fais pas. Tommie est passée à la boulangerie en sortant de son agence immobilière et a acheté une magnifique tarte aux pommes. Tu ne seras donc pas obligé de goûter à mon *chili con carne* et à mes spaghettis.

— Oh ! je n'étais pas inquiet. Je sais que tu es capable de mijoter de bons petits plats et qu'il ne te viendrait pas à l'idée de me servir des champignons vénéneux en guise de hors-d'œuvre.

— Il y a des jours où je t'expédierais volontiers en enfer, mais comme je ne tiens pas à être accusé de fratricide et à passer le restant de ma vie au fond d'un cachot, j'essaierai de ne pas t'empoisonner.

Réprimant un sourire, Jim alla s'adosser à la porte du réfrigérateur et se décida enfin à poser la question qui lui brûlait les lèvres :

— Teresa est-elle là ?

— Oui, acquiesça Pete, la mine confuse. Tommie l'a invitée.

— Il y a un bout de temps que je n'ai pas eu de ses nouvelles.

— Nous non plus, nous ne l'avons pas beaucoup vue ces derniers mois.

— Pourquoi ai-je la curieuse impression que tu me caches quelque chose ?

— Parce que tu es très méfiant de nature et que tu adores mettre en doute ce que te racontent les gens.

— Ce n'est pas de la méfiance, mon vieux, c'est du flair. Chaque fois qu'on essaie de me mener en bateau, je m'en aperçois avant que mon interlocuteur n'ait eu le temps de peaufiner ses mensonges.

— Et il ne t'arrive jamais de te tromper ?

— Jamais ! Si je n'avais pas étudié la comptabilité, j'aurais pu devenir détective privé.

« Je savais bien qu'il y avait anguille sous roche », pensa Jim lorsqu'il quitta la cuisine cinq minutes plus tard et qu'il attrapa au vol des bribes de la conversation qui s'était engagée dans la salle de séjour.

— Oh ! j'ignorais que vous étiez enceinte, ma chère petite, lança Evelyn à Teresa à l'instant même où il franchissait le seuil de la pièce. Quand vous êtes-vous mariée ?

— Je… je suis encore célibataire, balbutia la jeune femme, les pommettes enflammées.

— Qui est le papa de votre bébé ?

— Un homme que je… que j'ai perdu de vue.

Etant donné qu'il n'avait pas la fibre paternelle, j'ai décidé d'élever mon enfant seule.

— C'est très courageux de votre part.

— Si Tess a besoin d'aide, Tommie, Tabitha et moi serons là, déclara Ann Tyler avant de s'asseoir à côté de sa fille et de lui entourer les épaules d'un bras affectueux.

— Solide et intelligente comme elle l'est, je suis persuadé qu'elle saura se débrouiller par ses propres moyens, intervint Jim pour empêcher sa mère de poser d'autres questions indiscrètes à Teresa.

Celle-ci le remercia d'un pâle sourire puis, l'air embarrassé, feignit de s'absorber dans la contemplation de l'une des aquarelles qui égayaient les cloisons du séjour.

« Qu'elle est belle ! » songea-t-il en l'observant à la dérobée. Avec ses longs cheveux blonds que retenaient des peignes piquetés de strass, sa carnation de lys et son visage à l'ovale très pur où brillaient deux grands yeux bleu saphir, elle ressemblait à ces princesses de légende dont la grâce et l'éclat fascinaient les romanciers.

Au printemps, quand Pete avait décidé de quitter Boston et de transférer le siège de sa société à Fort Worth, Tommie Tyler l'avait aidé à trouver une maison et lui avait présenté sa famille lors d'un dîner auquel Jim avait été invité.

— Si vous aviez un homme à vos côtés, lança Evelyn à Teresa, il vous aiderait à pouponner.

— Maman nous a élevées toute seule, mes sœurs et moi, lui fit remarquer Tommie. Et elle s'en est bien sortie.

— Ah ! c'est vrai. A force de voir votre mère au bras de Joël, j'avais fini par croire qu'il était votre père.

— A propos de Joël, déclara Ann en se levant et en allant rejoindre son ami à l'autre bout de la pièce, j'ai une nouvelle de la plus haute importance à vous annoncer.

— Tu lui as accordé ta main ? questionnèrent à l'unisson Tommie et Tabitha.

— Oui. A moins que cette idée ne vous déplaise, je l'épouserai l'année prochaine.

— Félicitations ! s'écria Teresa. Je suis très heureuse d'apprendre que mon enfant aura un grand-père.

— Quand naîtra-t-il ? l'interrogea Jim pendant que les autres invités congratulaient les futurs mariés.

— Dans… dans six mois environ, balbutia-t-elle, les yeux rivés à la flûte de champagne qu'elle tenait entre ses doigts tremblants.

« Je parie que cet instituteur qu'elle a amené aux noces de Pete en juillet dernier est le père de son bébé, songea-t-il après s'être livré à un rapide calcul. A le voir flirter avec elle durant le banquet, on aurait juré qu'il n'avait qu'une hâte : lui faire l'amour. »

— Asseyez-vous, je vous en prie, lança Tommie à la cantonade. J'ai inscrit vos noms sur des petits rectangles de bristol. Comme cela, vous saurez immédiatement où vous installer.

— Est-ce un garçon ou une fille que vous attendez ? demanda Evelyn à Teresa dès que tout le monde se fut attablé.

— Je l'ignore, répondit la jeune femme en dépliant l'une des serviettes quadrillées de rouge et de blanc que Pete avait artistiquement disposées sur la nappe. J'ai rendez-vous avec mon médecin mercredi prochain pour une échographie, mais je ne suis pas certaine de vouloir connaître d'avance le sexe de mon enfant.

— Tu plaisantes, j'espère ? s'indigna Tommie. Lorsque je viendrai t'aider à transformer ta chambre d'amis en nursery et que nous irons acheter du papier peint, il faudra bien que tu choisisses entre le rose et le bleu.

— Si tu n'as pas la moindre idée de ce que l'avenir

te réserve, Tess, jeta à son tour Tabitha, comment pourras-tu préparer le trousseau de ton bébé ?

— Du calme, les filles ! s'exclama Ann. Ce n'est pas vous qui êtes enceintes, c'est votre sœur. Vous n'avez donc pas à lui dicter sa conduite ni à l'accabler de…

— Laisse, maman, coupa Teresa. Tab et Tommie ont eu raison de me donner leur avis, car je suis tellement fatiguée parfois que mon cerveau s'engourdit et que j'ai du mal à prendre des décisions.

— Quand t'arrêteras-tu de travailler ? l'interrogea Jim à la vue des larges cernes qui bleuissaient ses paupières. Dans ton état, tu ne devrais pas te surmener.

— Oh ! le problème est déjà réglé, affirma-t-elle avec un sourire. J'ai demandé un congé sabbatique au directeur de mon école.

— Tu veux dire que tu ne touches plus aucun salaire ?

— Exactement.

— Mais qui subviendra à tes besoins jusqu'à la naissance du bébé ?

— Personne. J'ai économisé un peu d'argent ces dernières années et cela me suffira.

— As-tu des nouvelles du père de ton enfant ?

— Non.

— Si tu le mettais face à ses responsabilités, il se sentirait obligé de t'aider et de veiller à ce que tu…

— Pas question ! le coupa-t-elle. Le jour où mon médecin m'a confirmé que j'étais enceinte, je me suis juré de me débrouiller seule et je tiendrai parole, quoi qu'il arrive.

— Je comprends que tu aies ta fierté, mais au lieu de respecter ton serment, tu devrais songer aux difficultés qui t'attendent et…

— Fiche-lui la paix, Jim ! coupa Pete d'un ton péremptoire. Tu ne vois pas que tu embêtes Teresa avec tes conseils ?

Et, pour essayer d'alléger l'atmosphère, il enchaîna à l'adresse de Joël :

— Quelle équipe va gagner le championnat de base-ball, selon vous ?

« Puisque Tess ne veut pas réclamer de l'argent au père de son bébé, se dit Jim pendant que le futur mari d'Ann portait aux nues les Red Sox de Boston, j'irai trouver ce salaud lundi prochain et il aura intérêt à réparer ses torts. »

Quand la grosse cloche en bronze qui rutilait à l'entrée de l'école primaire où avait enseigné Teresa se mit à tinter, des dizaines de petits garçons et de petites filles jaillirent des classes dans un joyeux brouhaha.

— Vous avez besoin d'un renseignement ? lança à Jim la vieille dame aux joues parcheminées qu'il venait de saluer d'un bref signe de tête.

— Oui, jeta-t-il, honteux de devoir lui mentir. La semaine dernière, je suis tombé en panne d'essence à deux pas d'ici, et comme j'avais oublié ma carte de crédit à la maison, l'un de vos instituteurs — un grand blond prénommé Roger — a eu la gentillesse de me prêter dix dollars.

— Je suppose qu'il s'agit de M. Arnsby. Il n'y a pas plus généreux que lui.

— Où se trouve-t-il ?

— Dans la salle 107, au premier étage. Il est en train de corriger les copies de ses élèves.

— Puis-je monter lui parler ?

— Bien sûr !

Après avoir remercié son interlocutrice d'un sourire, Jim gravit l'escalier dont les marches tournoyaient au-dessus du hall d'accueil et entra dans la classe qu'elle lui avait indiquée.

— Qu'y a-t-il pour votre service ? lui demanda Roger Arnsby, qui était assis derrière un vieux bureau encombré de livres, de stylos et de cahiers.

— Vous ne vous souvenez pas de moi ? riposta

Jim d'un ton sec. Nous nous sommes rencontrés au mariage de mon frère en juillet dernier.

— Vous êtes un ami de Teresa Tyler, n'est-ce pas ?

— Un excellent ami, en effet. Avez-vous eu l'occasion de la voir récemment ?

— Non. Je lui ai téléphoné à la mi-septembre et je l'ai priée de m'accompagner au restaurant, mais elle m'a répondu qu'elle était très occupée et qu'elle ne pourrait pas se libérer. J'ai trouvé cela dommage, car j'aurais bien aimé passer une soirée ou deux avec elle.

— Une soirée ou deux seulement ? s'indigna Jim. Avez-vous une idée de ce qui l'a obligée à prendre un congé sabbatique et à décliner votre *aimable* invitation ?

— Pas la moindre.

— Dans ce cas, je vais me faire un plaisir de vous l'expliquer. Si Teresa vit en recluse depuis le début de l'année scolaire, c'est parce qu'elle attend un enfant.

— Ah bon ! Et pourquoi avez-vous jugé utile de venir m'en informer ?

— Devinez !

Roger se leva de sa chaise, les prunelles étrécies.

— Vous ne croyez tout de même pas que je suis le père de son enfant ? s'écria-t-il.

— Enfin ! ironisa Jim. Je suis heureux de voir que vos petites cellules grises ne sont pas complètement hors d'usage. Maintenant que votre cerveau s'est remis à fonctionner, j'espère que vous allez verser une pension alimentaire à Teresa.

— Si j'étais responsable de ce qui lui est arrivé, je l'aiderais volontiers, mais je n'ai rien à me reprocher, affirma Roger.

— A d'autres ! Le jour du mariage de mon frère, vous n'avez pas arrêté de lui faire les yeux doux et de l'embrasser.

— C'est elle qui m'avait demandé d'avoir l'air follement amoureux.

— Dans quel but ?

— Je l'ignore. Quand je lui ai posé la question, elle a refusé de me répondre et je n'ai pas insisté.

— Imaginez qu'elle soit là, en face de nous. Auriez-vous le toupet de lui répéter ce que vous venez de me raconter ?

— Oui, car je ne vous ai dit que la stricte vérité. A moins que les méthodes de procréation n'aient changé l'été dernier, il est impossible que je sois le père de son enfant.

— Vous mentez !

— Je vous assure que non. Si vous ne me croyez pas, interrogez Teresa et vous verrez bien que vous avez eu tort de me soupçonner.

« Pourquoi Tess a-t-elle eu l'idée saugrenue d'inviter l'un de ses collègues au mariage de Pete et de se pendre à son cou ? » se demanda Jim. Parce qu'elle n'avait pas trouvé d'autre moyen d'éloigner les importuns que de choisir elle-même son cavalier ? Certainement pas ! Jolie comme elle l'était, elle devait être habituée à tourner les têtes et à repousser les avances de ses admirateurs. Parce que le sale type qui l'avait mise enceinte assistait au banquet et qu'elle avait voulu le mystifier ? Sans doute... Le père de son bébé ne pouvait donc être que...

— Savez-vous avec quel homme Teresa est sortie cette année ? lança Roger.

— Oui, maugréa Jim. Navré de vous avoir dérangé, monsieur Arnsby.

Puis, le visage rembruni, il quitta la classe en trombe, dégringola les marches de l'escalier et laissa les souvenirs affluer.

Après avoir cherché en vain à séduire Teresa, il l'avait invitée au restaurant un vendredi soir pour s'excuser de l'avoir harcelée et lui offrir son amitié, mais aucun des mots qui se bousculaient dans sa gorge n'avait réussi à franchir ses lèvres. Et quand elle lui avait proposé d'aller boire un dernier verre chez elle à la fin du dîner, il n'avait pas eu la force de lui résister.

— Si c'est de moi qu'elle est enceinte, il va falloir qu'elle me le dise aujourd'hui même, grommela-t-il en s'engouffrant à l'intérieur de son 4x4 et en démarrant sur les chapeaux de roues.

2.

Lorsqu'il se retrouva en face de Teresa vingt minutes plus tard et qu'il vit une lueur d'angoisse traverser les grands yeux limpides de la jeune femme, Jim sentit faiblir sa résolution.

— Que fais-tu ici ? lui demanda-t-elle d'une voix tremblante.

— Comme je passais dans le quartier et que j'ai aperçu ton break devant chez toi, déclara-t-il, j'ai eu envie de monter te dire bonjour.

— Tu t'es accordé quelques heures de congé ?

— Oui. J'ai travaillé tellement dur la semaine dernière que j'ai décidé de souffler un peu et de venir te proposer mes services.

— Je te remercie, mais je n'ai pas besoin de l'aide d'un expert-comptable. Bien que je ne sois pas très calée en arithmétique, je sais additionner des colonnes de chiffres et tenir un budget.

— Je n'en doute pas une seconde. Si je suis là, ce

n'est pas pour t'apprendre à dresser un inventaire et à analyser un bilan.

La mine perplexe, Teresa ouvrit en grand la porte de son vestibule, puis se plaqua contre la cloison et invita Jim à entrer.

— Quel genre de coups de main voudrais-tu me donner ? interrogea-t-elle après avoir refermé derrière lui le lourd panneau de chêne sculpté.

— Comme il va falloir que tu te ménages pendant ta grossesse, je me suis dit que je pourrais t'accompagner au supermarché le week-end ou ramasser les feuilles mortes qui jonchent les allées de ton jardin, par exemple. Chaque fois que tu auras un problème, tu n'auras qu'à me téléphoner et j'accourrai.

— Ce que tu aimerais, au fond, c'est jouer les chevaliers servants jusqu'à la naissance du bébé ?

— Pas exactement. Je préférerais que nous ayons des relations fraternelles à partir d'aujourd'hui et que tu n'hésites pas à m'appeler en cas de besoin.

— Des relations fraternelles ! répéta Teresa, l'air mi-étonné, mi-indigné. Tu te fiches de moi ?

Puis, avant que Jim n'ait eu le temps de riposter, elle s'adossa à la balustrade du vieil escalier dont les marches cirées s'envolaient au-dessus du hall et porta une main à son ventre.

— Qu'est-ce que tu as ? lui demanda-t-il, inquiet.

— Rien de grave, le rassura-t-elle d'une voix ténue. Le… le bébé vient de bouger.

— Cela t'était déjà arrivé ?

— Non. Il faudra que j'en parle au Dr Benson la prochaine fois que j'irai le consulter.

— Quand as-tu rendez-vous avec lui ?

— Mercredi, à 14 heures. Pourquoi me poses-tu cette question ?

— Par simple curiosité.

De peur que Teresa ne devine ce qu'il avait en tête, Jim lui encercla délicatement les épaules et l'entraîna vers le salon.

— Qu'as-tu ressenti au juste ? interrogea-t-il après l'avoir aidée à s'asseoir dans l'une des deux bergères qui encadraient la cheminée.

— Quelque chose d'indescriptible, murmura-t-elle, les lèvres étirées en un sourire lumineux. On aurait dit qu'un papillon voletait à l'intérieur de mon ventre.

— Tu crois que c'est normal ?

— Oui. Comme aucune de mes amies n'a encore eu de bébé, je ne sais pas ce qu'une femme enceinte éprouve au… au troisième mois de sa grossesse, mais je suis sûre qu'il n'y a pas lieu de s'alarmer.

— J'espère que tu as raison.

— Si tu as envie de rentrer chez toi ou d'aller faire du shopping, ne te gêne pas. Je me débrouillerai très bien toute seule.

— Veux-tu que je te laisse le numéro de mon portable pour que tu puisses me joindre en cas d'urgence ?

— Inutile ! Je le connais déjà.

— Au moindre problème, n'hésite pas à me téléphoner et je t'aiderai.

— D'accord.

Jim embrassa le salon d'un coup d'œil et leva un sourcil étonné.

— Où as-tu mis le gros poste qui se trouvait au fond de la pièce la dernière fois que je suis venu ici ? questionna-t-il, un doigt pointé vers le meuble vidéo qui ne renfermait plus qu'un lecteur de DVD, quelques cassettes et de vieux journaux.

— Je l'ai vendu à une amie cet été et je me suis offert un petit combiné télé-magnétoscope, que j'ai installé dans ma chambre. Comme je vis seule, cela ne me dérange pas de devoir monter au premier étage pour suivre mon feuilleton préféré.

— Si tu veux admirer les joueurs de base-ball qui vont disputer le championnat, il vaudrait mieux que tu t'achètes un grand écran.

— Quand débute le tournoi ?

— Cette semaine. Et il se pourrait bien que les Texans arrivent en finale.

— Ce n'est pas la peine, alors, que je coure les magasins. Vu le nombre de supporters qu'il y a à Fort Worth, je parie que toutes les boutiques de la ville ont déjà été prises d'assaut.

Impatiente de se soustraire au regard énigmatique dont l'enveloppait Jim, Teresa se leva et le raccompagna jusqu'en bas du perron.

— A mercredi, lui dit-il avant de se mettre au volant de son 4x4 et de démarrer.

« A mercredi ! releva-t-elle, interloquée. J'espère que Pete et Tommie n'ont pas décidé d'organiser un nouveau dîner ce jour-là, car je n'ai aucune envie de subir le même genre d'interrogatoire que vendredi dernier et de regretter que mes rêves de bonheur éternel ne se soient pas réalisés. »

Jim avait-il deviné qu'elle était enceinte de lui ? Probablement pas ! Après la folle nuit d'amour qu'ils avaient passée dans les bras l'un de l'autre au début de l'été, il lui avait expliqué qu'il tenait trop à sa liberté pour se marier et fonder une famille. L'idée qu'il ait pu lui faire un enfant n'avait donc pas dû l'effleurer.

— S'il croit que nous allons entretenir des relations

« fraternelles » et que je vais lui téléphoner à tout bout de champ, il me connaît mal, maugréa-t-elle en gravissant une à une les marches du perron.

— Ah ! non, s'écria Teresa le surlendemain, quand elle sortit de chez elle et qu'elle aperçut Jim au volant de son luxueux 4x4 gris métallisé.

Au lieu de ranger sa voiture le long du trottoir, il s'était arrêté à l'entrée du sentier gravillonné qui reliait Oak Street au garage de la jeune femme.

— Que fabriques-tu ici ? lui jeta-t-elle d'un ton abrupt.

— Je suis venu te chercher, déclara-t-il après avoir abaissé sa vitre.

— Pour m'emmener où ?

— Au cabinet du Dr Benson. Comme j'ai remarqué lundi dernier qu'aller le consulter seule t'angoissait, j'ai décidé de t'accompagner.

— Si tu fais cela, tous les gens qui nous verront entrer ensemble dans son bureau s'imagineront que tu es le père de mon enfant et les ragots iront bon train.

— Tu as peur du qu'en-dira-t-on ?

— Non, mais ta mère, elle, n'aime pas qu'on jase derrière son dos.

— Elle survivra, ne t'inquiète pas.

— Que répondrons-nous aux curieux qui s'aviseront de nous interroger ?

— Que je suis ton grand frère et que j'adore te servir de chauffeur.

« Mon grand frère ! releva Teresa, partagée entre l'amertume et l'indignation. Pourquoi tient-il absolument à ce que naisse entre nous une amitié fraternelle ? »

— Au lieu de raconter des bêtises, dépêche-toi de reculer et de libérer le passage, ordonna-t-elle à Jim. Si je ne pars pas tout de suite, je serai en retard à mon rendez-vous.

— Ne t'énerve pas, mon ange ! Tu sais bien que je ne bougerai pas d'ici tant que tu ne te seras pas assise à côté de moi.

— Ah ! ce que tu peux être agaçant quand tu t'y mets !

— Je ne suis pas agaçant, je suis *obstiné*. Nuance !

— Puisque tu sembles l'ignorer, je te signale que les deux vont souvent de pair. Il n'y a pas plus horripilant qu'une tête de mule dans ton genre.

— Et pas plus exaspérant qu'une orgueilleuse qui refuse les coups de main par fierté.

— Au cas où tu n'aurais pas encore compris que je suis quelqu'un de très indépendant, je te répète ce que je t'ai déjà dit et redit : je n'ai besoin de l'aide de personne.

— Mon œil ! Tu es morte de peur à l'idée de subir ta première échographie, mais tu préférerais mourir plutôt que de me l'avouer. Si tes sœurs avaient pu prendre une journée de congé, je suis certain que tu leur aurais demandé de t'emmener chez le Dr Benson.

— Tu te trompes. Lorsqu'elles m'ont proposé de m'accompagner, je leur ai défendu de perdre ne serait-ce qu'une heure de travail à cause de moi.

— Comme je suis libre, contrairement à elles, tu n'as aucune raison de refuser ma proposition, déclara Jim en allant ouvrir la portière avant droite de son 4x4.

Avec un petit soupir résigné, Teresa se hissa sur le siège qu'il lui désignait d'un doigt autoritaire et boucla sa ceinture de sécurité.

— J'accepte que tu me serves de chauffeur, marmonna-t-elle dès qu'il se fut remis au volant et qu'il eut embrayé, mais à condition que tu t'engages à rester dans la salle d'attente pendant que le médecin m'examinera.

— Le fait qu'il soit un homme ne te gêne pas ?

— Non. Pourquoi voudrais-tu que ça m'embarrasse ?

— Parce que tu dois être obligée de te déshabiller avant de t'allonger sur la table d'auscultation et que tu te sentirais plus à l'aise si c'était une femme qui se trouvait en face de toi à ce moment-là.

— On voit bien que tu ignores ce qu'est une visite prénatale ! Chaque fois que je me suis rendue chez le Dr Benson, Kate Stevens, son infirmière, m'a aidée à revêtir une sorte de tunique grâce à laquelle ma pudeur n'a pas trop souffert jusqu'à maintenant.

— Tant mieux, car je n'aurais pas aimé que ce type se rince l'œil.

— « Ce type », comme tu dis, est l'un des meilleurs gynécologues du Texas et il ne se permettrait pas de prendre les futures mamans qui viennent le consulter pour des strip-teaseuses.

— Si tu m'avais demandé mon avis, j'aurais quand même préféré que tu t'adresses à l'une de ses consœurs. L'obstétrique n'est pas un domaine réservé aux hommes, que je sache.

Surprise de cet accès de jalousie qui cadrait mal avec le rôle de grand frère que s'était assigné Jim, Teresa appuya sa nuque contre le dossier de son siège et regarda défiler les vitrines joliment décorées des boutiques de mode du centre-ville.

— Veuillez me suivre, lui lança Kate Stevens lorsqu'elle franchit le seuil du cabinet médical dix minutes plus tard. Le Dr Benson va vous recevoir.

— Pourrai-je assister à l'échographie ? interrogea Jim après avoir traversé le hall d'accueil d'un pas conquérant et dédié à l'assistante l'un de ces sourires enjôleurs dont il avait le secret.

— C'est à Mlle Tyler qu'il appartient de vous répondre, monsieur…

— … Schofield. Jim Schofield.

— C'est à Mlle Tyler qu'il appartient de vous répondre, monsieur Schofield, répéta l'assistante. A moins que vous ne soyez le papa de son bébé, naturellement.

« Je savais que cet obstiné serait incapable de rester tranquille jusqu'à la fin de la consultation », fulmina Teresa en foudroyant Jim du regard.

— M. Schofield n'est qu'un ami, précisa-t-elle. Mais je ne vois pas d'inconvénient à ce qu'il vienne me rejoindre dès que je serai prête.

Puis, le dos raide, elle entra dans la salle aux murs carrelés de blanc où l'obstétricien avait l'habitude d'examiner ses patientes.

*
* *

— Je vous trouve très nerveuse aujourd'hui, remarqua Kate Stevens lorsque, vêtue d'une tunique bleue qui couvrait sa poitrine et dénudait le haut de son ventre, Teresa s'allongea sur la table d'auscultation. De quoi avez-vous peur ?

— D'apprendre que mon enfant est en mauvaise santé, répondit Teresa avec sincérité. Grâce aux magazines spécialisés que j'ai lus ces dernières semaines, je sais que l'échographie permet de dépister d'éventuelles malformations et qu'il est parfois nécessaire de procéder à…

— Au lieu de vous alarmer inutilement, mademoiselle Tyler, vous devriez inspirer à fond et faire le vide dans votre tête, coupa l'assistante du ton d'un général en chef haranguant ses troupes à la veille d'une bataille. Pendant que vous essayez de vous détendre, je vais aller chercher M. Schofield.

— Oh ! je… je ne crois pas que ce soit une bonne idée, finalement.

— Moi, je suis persuadée du contraire. Quand on a une épreuve à traverser et qu'on est angoissé, on a besoin du soutien de ses amis.

« Pourvu que Jim ne devine pas qu'il est le père de mon bébé ! » songea Teresa, les nerfs à fleur de peau.

— Je te remercie de m'avoir autorisé à venir te

rejoindre, Tess, lança-t-il en s'approchant de la table d'auscultation quelques minutes plus tard et en lui prenant la main, comme pour lui insuffler un peu de cette force tranquille qui le caractérisait. Tout ira bien, n'aie crainte, ajouta-t-il avec une sérénité qu'elle lui envia. S'il te ressemble, ton enfant doit avoir du courage et de l'énergie à revendre.

— Espérons-le, murmura-t-elle juste avant que la haute silhouette d'Edward Benson ne s'encadre dans l'embrasure de la porte.

— Kate m'a dit que vous aviez grossi de trois kilos en deux semaines, mademoiselle Tyler, jeta le médecin d'une voix grondeuse. Auriez-vous l'habitude de grignoter entre les repas ?

— Non, docteur, le détrompa Teresa. J'ai suivi à la lettre les conseils que vous m'aviez donnés la première fois que je suis venue vous consulter.

— Pesez-vous chaque matin à partir d'aujourd'hui et tâchez d'être vigilante, car la santé de votre bébé ne dépend que de vous.

— Je ferai attention, je vous le promets.

— Très bien ! Je sais que vous êtes quelqu'un de raisonnable et que vous veillerez à vous nourrir correctement.

Après avoir abaissé l'un des spots au néon qui

éclairaient la salle, Edward Benson enduisit le ventre de Teresa d'une crème lubrifiante.

— Aïe ! ça pique, se plaignit-elle en frissonnant. On dirait que vous avez plongé vos doigts dans du fluide glacial.

— Le produit dont je me sers est un peu froid et visqueux, je vous l'accorde, mais sans lui, mon échographe ne me serait d'aucune utilité.

Le médecin promena une plaque métallique autour du nombril de Teresa, puis fixa le moniteur qui trônait sur un bureau, à côté de la table d'auscultation.

— Ah ! je m'explique mieux maintenant pourquoi vous avez pris trois kilos en l'espace de quinze jours, lança-t-il. Ce n'est pas un bébé que vous attendez, mademoiselle Tyler, mais deux.

— Deux ! répéta-t-elle, effarée. Je... je vais avoir des jumeaux ?

— Oui. Comme votre mère a eu une grossesse trigémellaire, cela n'a rien d'étonnant. Souhaitez-vous connaître le sexe de vos enfants ?

— Il y a une semaine, je vous aurais répondu « non », mais mes sœurs m'ont convaincue que j'avais tort de vouloir ménager le suspense.

Un sourire aux lèvres, Edward Benson braqua un doigt sur l'écran.

— Vous allez mettre au monde de beaux petits garçons, annonça-t-il joyeusement à Teresa.

« S'ils sont aussi remuants et indisciplinés que ceux auxquels j'ai appris à lire et à compter ces dernières années, songea-t-elle, je ne risque pas de m'ennuyer. »

— Une fois que Kate vous aura aidée à vous rhabiller, vous n'aurez qu'à venir me rejoindre dans mon bureau, lui conseilla le gynécologue, et je répondrai à toutes les questions que vous jugerez utile de me poser.

Puis, à l'adresse de Jim, il ajouta :

— Suivez-moi, monsieur Schofield. Pendant que ma collaboratrice s'occupe de Mlle Tyler, j'aimerais avoir une conversation avec vous.

« Jamais je n'aurais dû autoriser Jim à m'accompagner, se morigéna Teresa en voyant les deux hommes s'éloigner côte à côte. Maintenant qu'il sait que j'attends des jumeaux, je parie qu'il va se douter de quelque chose et demander à consulter mon dossier médical. »

— Les bébés sont-ils en bonne santé, docteur Benson ? demanda Jim après s'être installé dans le fauteuil que lui désignait l'obstétricien.

— Oui, soyez sans crainte à ce sujet.

— Et Teresa, comment se porte-t-elle ?

— Aussi bien que ses enfants.

— Ah ! vous me rassurez. Quand vous lui avez reproché d'avoir pris un peu trop de poids, j'ai cru qu'elle courait un grave danger.

— Kate Stevens m'a dit que vous étiez un ami de Mlle Tyler.

— En réalité, je suis le frère du mari de sa sœur.

— J'espère que vous allez veiller sur elle jusqu'à son accouchement et que vous l'aiderez ensuite à s'occuper de ses deux petits garçons, car elle aura du mal à les élever seule.

— J'en suis d'autant plus conscient que ma mère a eu, elle aussi, une grossesse gémellaire.

— Ah bon ? jeta Edward Benson, le regard acéré. Quelle étrange coïncidence !

— N'est-ce pas ? riposta Jim sans vouloir étayer ni infirmer l'hypothèse qu'était manifestement en train d'échafauder l'obstétricien.

— Avez-vous des questions à me poser ? demanda celui-ci à Teresa lorsqu'elle entra dans le bureau.

— Non, murmura-t-elle en s'asseyant devant une fenêtre, le dos droit comme un I.

— Tu ne veux pas parler au Dr Benson de ce qui s'est passé lundi ? lui lança Jim.

— Que vous est-il arrivé, mademoiselle Tyler ? s'inquiéta le médecin.

— J'ai senti les bébés bouger pour la première fois. Est-ce normal ?

— Tout ce qu'il y a de plus normal, tranquillisez-vous. A ce stade de votre grossesse, il est peu probable que leur gymnastique quotidienne vous empêche de dormir, mais dans quelques mois, ils vous donneront de violents coups de pied et il faudra que vous appreniez à gérer votre sommeil. En attendant, évitez de vous surmener, faites la sieste chaque jour, suivez un régime équilibré et laissez-vous dorloter par votre entourage. Ce qu'il faut, c'est que vous soyez épanouie et détendue. Si vous avez le moindre problème, n'hésitez pas à me téléphoner et nous chercherons ensemble un moyen de le résoudre. M. Schofield, quant à lui, veillera à ce que vous…

— Il n'en est pas question, l'interrompit Teresa en se levant de son siège, le regard noir de colère. Rien ne l'oblige à m'aider.

— Calmez-vous, mademoiselle Tyler, lui conseilla Edward Benson d'une voix lénifiante. Plus vous vous agiterez, plus vous nuirez à la santé de vos bébés.

— Veuillez m'excuser. Je… j'ai eu tort de m'énerver.

— Qui s'occupera de vous jusqu'à la fin de votre grossesse ?

— Mes sœurs. Nous sommes tellement habituées à nous tenir les coudes, toutes les trois, que je n'aurai besoin de personne d'autre.

— Qui sait ? Il y a des circonstances dans la vie où l'on est très heureux d'avoir autour de soi des gens de bonne volonté.

— Ne vous inquiétez pas, docteur, j'arriverai à raisonner Teresa, assura Jim avant de quitter son fauteuil, de saluer le médecin d'une brève poignée de main et d'entraîner la jeune femme hors du bureau.

— De quel droit t'es-tu permis de fourrer ton nez dans mes affaires ? s'écria-t-elle dès qu'ils se retrouvèrent seule à seul à l'intérieur du 4x4. Tu n'aurais pas dû parler en privé avec *mon* médecin.

— Rien de ce que je lui ai dit n'était confidentiel. Il m'a demandé si j'étais l'un de tes amis et je me suis borné à lui répondre.

— Lui as-tu précisé que tu avais un frère jumeau ?

— Oui. Comme il craignait que tu n'aies du mal

à élever tes deux fils, je lui ai expliqué que ma mère était déjà passée par là autrefois.

« Et, vu les lois de l'hérédité, il en aura sans doute conclu que tu étais le père », riposta secrètement Teresa, les mains crispées sur l'enveloppe de papier kraft que lui avait donnée Kate Stevens.

— Qu'y a-t-il là-dedans ? interrogea Jim.

— Un double de mon échographie, marmonna-t-elle. L'adjointe du Dr Benson me l'a offert après m'avoir aidée à me rhabiller.

— Tu veux bien me le montrer ?

— Pour quoi faire ? Tu as déjà regardé les bébés sur l'écran.

— C'est vrai, mais tout est allé si vite que je n'ai pas pu les admirer.

Etouffant un soupir de contrariété, Teresa sortit l'image de l'enveloppe et la tendit à Jim.

— Ce qu'ils sont mignons, tes enfants ! lâcha-t-il, émerveillé. Tu n'es pas trop déçue de n'avoir que des jumeaux ?

— Non. Comme certaines femmes sont plus prédisposées que d'autres aux grossesses multiples, je craignais de mettre au monde des triplés ou des quadruplés et d'être incapable de m'en occuper.

— La prochaine fois que Tommie et Tabitha

viendront te rendre visite, leur diras-tu qu'elles vont avoir deux petits neveux à choyer ?

— Peut-être.

Voyant une moue plisser les lèvres de Teresa, Jim jugea préférable de ne pas insister et démarra dans un envol de gravillons.

— Va ouvrir la porte, lui jeta-t-il en se garant devant chez elle un quart d'heure plus tard. Il faut que je sorte quelque chose du coffre.

— Quelque chose que tu as l'intention de m'offrir ?

— Oui.

— Qu'est-ce que c'est ?

— Un téléviseur.

— Puisque tu sembles l'avoir oublié, je te rappelle que j'en ai déjà un.

— Comparer ton minuscule combiné à tube cathodique au merveilleux objet avec son stéréo et écran plasma que je t'ai acheté serait une hérésie.

— Je ne tiens pas à ce que tu me fasses des cadeaux hors de prix, répondit-elle avec froideur.

— Dans ce cas, dis-toi qu'il s'agit d'un simple prêt et souris.

— Impossible ! Je suis de trop mauvaise humeur.

Dès que Teresa eut quitté le 4x4, la mine renfrognée, et ouvert sa porte d'entrée, Jim alla déposer au fond du salon la grosse boîte qu'il avait extirpée de son coffre.

— Et voilà le travail ! s'écria-t-il après avoir branché l'appareil.

— Tiens ! jeta Teresa, brusquement déridée, le championnat de base-ball vient de commencer. Tu veux que l'on regarde le premier match ensemble ?

— Oui, acquiesça Jim en se laissant tomber sur le canapé. Rien ne pourrait me rendre plus heureux.

3.

Lorsque Jim rentra chez lui ce soir-là, la sonnerie de son téléphone lui vrilla les tympans.

— Ah, tout de même ! s'exclama sa mère à l'autre bout du fil dès qu'il eut empoigné le combiné. Il y a plus d'une heure que j'essaie de te joindre. Où étais-tu ?

« A Westside, s'abstint-il de riposter. Tess et moi avons regardé un match de base-ball à la télévision, puis nous avons commandé des rouleaux de printemps chez un traiteur vietnamien et nous avons dîné en tête à tête au coin du feu. »

— Je suis allé faire un tour en ville, répondit-il, de peur qu'Evelyn ne le croie amoureux de Teresa et impatient de fonder un foyer.

— Avec qui ?

— Avec personne. J'adore me promener seul dans les rues du centre.

— Quel dommage que tu n'aies pas de petite

amie et que tu ne veuilles pas suivre l'exemple de Pete !

— C'est pour jouer les marieuses que tu m'appelles ?

— Non. Une mère a bien le droit de téléphoner à ses enfants sans raison particulière.

— A condition de ne pas les harceler.

— Tu trouves que je m'intéresse trop à ta vie privée ?

— Parfois, oui. Mais ce soir, je suis heureux que tu aies songé à me passer un coup de fil. Comment vas-tu ?

— Pas trop mal, je te remercie. Cet après-midi, pendant que je servais le thé à mes voisines, je me suis rendu compte que la tapisserie de ma salle à manger était fanée et j'ai décidé de faire repeindre tout mon intérieur. Sais-tu à qui je pourrais confier les travaux ?

— Cherche dans les Pages Jaunes de l'annuaire et tu auras la réponse à ta question.

— Je préférerais que tu t'occupes de cela à ma place, mon chéri. Il y a tellement d'entreprises spécialisées que je m'y perds.

— Tu n'as qu'à appeler les artisans que tu avais embauchés l'an dernier et leur expliquer ton…

— Oh ! j'en serais bien incapable.

— Tu n'as aucune idée de ce qui te plairait ?

— Si. J'aimerais que les murs de ma chambre soient laqués de bleu ciel et que les autres pièces aient chacune une couleur dominante qui tranche avec celle de la moquette et des rideaux. Cet été, je suis allée au Salon de l'Habitat et j'ai entendu un architecte de San Francisco suggérer à ses clients de peindre leur salon en rouge framboise. Tu crois que je pourrais faire la même chose ?

— Au lieu de me demander mon avis, tu devrais t'adresser à un expert. Ce ne sont pas les décorateurs d'intérieur qui manquent dans la région.

— Le mieux serait que j'expose mon problème à Tommie et à Teresa. Vu la manière dont elles ont aménagé la villa de Pete quand il est revenu à Fort Worth, je suis sûre qu'elles seront de bon conseil.

— Tommie travaille dans une agence immobilière, mais Tess, elle, n'est pas une spécialiste, remarqua Jim.

— Raison de plus pour la consulter. Sa fraîcheur et sa simplicité me seront d'un grand secours. Cela ne t'ennuie pas que je l'invite à déjeuner vendredi ?

— Pas du tout. Je... je suis enchanté que tu aies décidé de rénover ton intérieur et d'appeler Tess à l'aide.

— Merci, mon chéri. Je me doutais bien que mes projets t'emballeraient.

Après avoir pris congé de sa mère et raccroché, Jim souleva de nouveau le combiné du téléphone et composa à la hâte le numéro de Pete.

— Je sais qu'il est tard, mais pourrais-tu me passer Tommie ? demanda-t-il à son frère.

— De quoi veux-tu lui parler ?

— De ma future villa. J'aimerais acheter un F5 dans un quartier résidentiel et la charger de la transaction. Il faut également que je la mette en garde contre maman, qui rêve de l'embaucher comme décoratrice et d'embrigader Tess par la même occasion.

— En voilà, une idée !

— Je ne te le fais pas dire.

— Puisque Tommie n'est pas encore montée se coucher, viens à la maison. Nous t'offrirons une tasse de café et tu nous raconteras ce que Son Altesse sérénissime Evelyn Schofield a inventé.

— Très bien ! J'arrive.

— Bonsoir, Tommie, lança Jim en entrant dans la cuisine de sa belle-sœur. Je ne te dérange pas, au moins ?

— Non, non, le rassura-t-elle. Le coup de fil que

tu as passé à Pete il y a vingt minutes était tellement énigmatique que je t'attendais avec impatience.

— Pour m'excuser de débarquer chez toi à une heure aussi tardive, j'ai apporté des gâteaux. J'espère que tu aimes les cookies aux noix de cajou et aux pépites de chocolat ?

— Oh ! je les adore, mais je n'en mange qu'à dose homéopathique.

Jim tira l'une des chaises disposées autour de la table, puis s'assit entre Pete et Tommie.

— Tess est allée consulter son obstétricien aujourd'hui, leur annonça-t-il.

— Oh, mon Dieu ! s'écria Tommie. Je lui avais promis de l'appeler et j'ai complètement oublié. Tu crois que je peux lui téléphoner maintenant ?

— Si tu fais cela, tu risques de la réveiller.

— Il vaut mieux que je patiente jusqu'à demain matin, tu as raison.

— Une femme enceinte doit apprendre à gérer son sommeil, il est donc préférable de ne la déranger qu'en cas d'absolue nécessité.

— De qui tiens-tu cette belle théorie ? lui demanda Tommie en haussant les sourcils.

— Du Dr Benson.

— Tu as accompagné Tess chez son médecin ? s'étonna Pete.

— Oui, acquiesça Jim en saisissant le mazagran que lui tendait Tommie.

— Pourquoi es-tu allé là-bas avec elle ?

— Parce qu'elle m'avait semblé angoissée à l'idée de subir sa première échographie seule et que j'ai voulu l'aider dans la mesure de mes moyens.

— J'ai du mal à croire qu'elle t'ait autorisé à franchir le seuil du cabinet, déclara Tommie. Vendredi dernier, lorsque je lui ai demandé si elle avait envie que Tabitha et moi assistions à la consultation, elle m'a défendu de prendre un après-midi de congé.

— Quand je lui ai proposé mes services, on ne peut pas dire qu'elle ait sauté de joie, mais j'ai tenu bon et il a bien fallu qu'elle cède. Dès que nous sommes arrivés chez le Dr Benson, je me suis efforcé de la calmer et de lui redonner le sourire, car elle avait lu tellement d'articles sur les grossesses à risque et sur les pathologies du fœtus qu'elle était morte d'inquiétude.

— A sa place, je n'en aurais pas mené large non plus, avoua Tommie. Quel a été le résultat de l'examen ?

Jim but une longue gorgée de café et lança tout à trac :

— Tess va avoir des jumeaux.

— Formidable ! s'écria Tommie. C'est la meilleure nouvelle de l'année.

— J'en ai une autre à t'annoncer.

— Concernant ma sœur ?

— Oui. Je sais qui est le père de ses enfants.

— Comment as-tu réussi à la faire parler ?

— Je n'ai pas eu besoin de l'interroger. Il m'a suffi de réfléchir un peu pour me rendre compte que le père de ses bébés ne pouvait être que moi.

— Toi ! s'écria Tommie, les yeux arrondis d'incrédulité. Tu n'as pas bientôt fini de te payer ma tête ?

Puis, voyant Jim fixer d'un air gêné les spirales de fumée qui s'élevaient de son mazagran, elle bondit de sa chaise et le fusilla du regard.

— Espèce de lâcheur ! s'exclama-t-elle. Tu as osé coucher avec Tess et la laisser tomber ?

— Jusqu'à la semaine dernière, j'ignorais qu'elle était enceinte. Je ne l'ai appris que vendredi, en même temps que le reste de la famille, et j'ai cru que le fautif était Roger Arnsby, l'instituteur qu'elle avait amené à ton mariage, se justifia Jim. Je suis allé le trouver dans sa classe lundi soir et j'ai essayé de le faire avouer, mais il m'a répondu que c'était Tess qui lui avait demandé de jouer les amoureux transis durant le banquet, et que leurs relations s'étaient arrêtées là.

— Pourquoi a-t-elle mis en scène une telle mascarade ?

— Pour que je ne devine pas à quel point je l'avais blessée. Après la nuit que nous avions passée ensemble au début de l'été, je lui avais expliqué que je détestais les engagements à long terme et que je n'avais aucune envie de fonder un foyer.

— Ne penses-tu pas qu'il aurait été plus honnête de ta part de lui dire la vérité *avant* de coucher avec elle ? accusa Tommie.

— Encore aurait-il fallu que j'en aie la possibilité.

— Ce qui signifie ?

— Que Tess s'est jetée dans mes bras en sortant de l'auberge où je l'avais invitée à dîner et que je n'ai pas eu la force de la repousser.

— Qu'es-tu en train d'insinuer ? lui demanda Tommie avec colère. Que ma sœur, qui est la sagesse personnifiée, t'a vampé ?

— Oui. Je sais que j'aurais dû refuser d'aller boire un dernier verre chez elle, mais elle était tellement sexy ce soir-là que je n'ai pas pu lui résister. Au lieu d'essayer de la raisonner, je me suis conduit comme un lâche et j'ai pris ce qu'elle m'offrait.

— Et maintenant qu'elle est enceinte de toi, que comptes-tu faire ?

— Assumer mes responsabilités. Il est hors de question que je l'abandonne une seconde fois et que je la laisse élever seule nos deux fils. Le problème, c'est qu'elle est très orgueilleuse et qu'elle m'enverra au diable si je lui demande sa main.

— Qu'éprouves-tu à son égard ? l'interrogea Pete.

— De l'amitié et infiniment de respect.

— Tu parles d'une réponse ! s'écria Tommie.

— Je suis navré que mon manque de romantisme te déplaise, mais je préfère être franc plutôt que de te raconter des histoires.

Tommie se rassit, le front soucieux.

— A quoi penses-tu ? la questionna Pete.

— A la pauvre Tess. La connaissant, je suis sûre qu'elle refusera d'épouser un homme qui veut la conduire à l'autel dans l'unique but de se racheter. Ce dont elle rêve, c'est d'un mariage comme le nôtre, pas d'une vulgaire régularisation pour le bien des enfants.

— Puisqu'il y a peu de chances que ce rêve se réalise, qu'attends-tu de mon frère ?

— Qu'il veille sur ma sœur durant sa grossesse et qu'il l'aide ensuite à prendre soin de leurs fils.

— Qu'elle accepte ou non de devenir ma femme, je ne la laisserai pas tomber, déclara Jim.

— Que vas-tu faire concrètement ? lui demanda Tommie.

— Acheter une maison et la persuader d'y emménager avant la naissance des bébés.

— Tu n'aimes pas l'endroit où elle habite ?

— Pas trop. Quand je suis sorti de chez elle tout à l'heure, j'ai vu une bande de loubards rôder sous ses fenêtres et je me suis dit qu'elle serait plus en sécurité dans un quartier résidentiel.

— Quel genre de villa faudrait-il que je te trouve ?

— Un F5 avec un grand jardin clôturé, afin que les jumeaux ne risquent pas de s'échapper lorsqu'ils seront en âge de marcher.

— Une fois que j'aurai déniché la propriété de tes rêves, pourrai-je la montrer à Tess ?

— Bien sûr, mais ne lui parle pas du reste, je t'en supplie. Elle est tellement fière qu'elle serait capable de partir s'installer à l'autre bout du pays pour me punir d'avoir percé son secret.

« Je n'aurais pas dû passer la soirée d'hier en compagnie de Jim, se reprocha Teresa le lendemain matin. Si je n'arrive pas à garder mes distances, je vais retomber amoureuse de lui et avoir le cœur brisé. »

Dès que leurs fils seraient nés, elle lui dirait la vérité à leur sujet, et quand ils auraient un an, elle l'autoriserait à s'occuper d'eux chaque week-end. Mais d'ici là, moins elle le verrait, mieux elle se porterait.

Après avoir traversé en trois enjambées le petit cabinet de travail qu'elle avait aménagé à côté de sa chambre, Teresa s'assit derrière la vieille table en pitchpin qui lui servait de bureau, puis alluma son ordinateur et relut le cinquième chapitre du livre pour enfants qu'elle avait commencé à écrire pendant les grandes vacances. A peine avait-elle parcouru le dernier paragraphe et détourné ses yeux de l'écran qu'une envie lui vint de bavarder avec ses sœurs.

Sachant que Tabitha ne serait pas disponible avant midi, elle décrocha son téléphone et composa le numéro de l'agence immobilière où travaillait Tommie.

— Coucou, c'est Tess, lança-t-elle dans le micro lorsqu'elle perçut un léger déclic au bout de la ligne. J'ai une nouvelle formidable à t'annoncer : j'attends des jumeaux.

— Ah ? jeta Tommie d'une voix dénuée d'émotion. Quelle surprise !

— C'est tout ce que tu trouves à me dire ? Moi qui croyais que tu allais pleurer de joie et me féliciter, je suis très déçue. Tu n'es pas heureuse que je mette au monde deux beaux petits garçons ?

— Si, mais je me demande comment tu vas faire pour les élever sans l'aide de leur papa.

— Oh ! j'en ai vu d'autres. Quand j'étais institutrice, je devais affronter chaque jour une vingtaine de gamins turbulents qui ne songeaient qu'à se taper dessus en poussant des cris de sauvages.

— Et tu arrivais à les calmer ?

— Evidemment ! Je réussissais même à leur enseigner les tables de multiplication. Tu n'as donc aucune raison de t'inquiéter.

Il y eut un long silence à l'autre bout de la ligne, puis la voix haut perchée de Tommie résonna de nouveau dans l'écouteur.

— Cela te plairait de déjeuner en ville avec moi ?

— Oui, acquiesça Teresa. J'en ai assez de manger toute seule tous les midis.

— Je passerai te prendre à ton domicile vers midi moins le quart et je t'emmènerai au Silver Star.

— Tu sais, ce n'est pas parce que je suis enceinte que je ne peux pas conduire !

— Très bien. A tout à l'heure, alors !

— Quelle bonne idée tu as eue de m'inviter au restaurant ! s'exclama Teresa en s'engouffrant dans le cabriolet de Tommie à la sortie du Silver Star. A force de passer mes journées entre les quatre murs de mon bureau, je commençais à devenir claustrophobe.

— Il faut que j'aille visiter des maisons pour l'agence, lui annonça sa sœur après avoir tourné la clé de contact et embrayé. Veux-tu m'accompagner ?

— Avec plaisir. Où sont-elles situées ?

— Pas très loin d'ici. La première, qui s'appelle Sweet Haven, a été construite il y a trois ans.

— Pourquoi son propriétaire désire-t-il la vendre ?

— A cause de son travail. Il sera muté à Cincinnati fin novembre et n'a pas d'autre choix que de s'en débarrasser. Quand j'ai eu sa femme en ligne hier matin, elle m'a expliqué qu'elle s'était elle-même occupée de la décoration et que cela lui fendait le cœur de devoir déménager. Si toutes les pièces sont en aussi bon état qu'elle me l'a dit, les acquéreurs vont se bousculer à sa porte.

— Tu ne crois pas que tes clients préféreront trouver un terrain qui leur convienne et y faire bâtir la villa de leurs rêves ?

— Non. Ce qu'ils veulent, c'est acheter une maison déjà équipée et pouvoir immédiatement profiter de son confort. A notre époque, les gens n'ont pas envie de passer leurs week-ends à planter des arbres et à ériger des clôtures.

Tommie s'engagea dans une rue bordée de platanes que l'automne avait moirés d'or et de pourpre, puis s'arrêta devant une splendide demeure entourée d'un parc à l'anglaise et descendit de son cabriolet.

— Quelle merveille ! s'extasia Teresa en la rejoignant sur le trottoir.

Bras dessus, bras dessous, elles remontèrent un sentier gravillonné qui longeait des massifs de rhododendrons et gravirent d'un même pas les marches du perron.

— Bonjour, madame Jenkins, lança Tommie à la jolie brune au teint de porcelaine qui vint leur ouvrir. Je suis Tommie Schofield, et voici ma sœur Teresa !

— Vous vous ressemblez tellement que quand je vous ai aperçues par la fenêtre du hall, je me suis crue victime d'une illusion d'optique ! répondit Mme Jenkins en riant.

— On nous dit toujours cela la première fois qu'on nous rencontre.

— Entrez, je vous en prie. Je vais vous montrer la maison.

— Si elle m'appartenait, je n'aurais pas le cœur de la vendre, jeta Teresa à la vue du splendide escalier dont les balustres délicatement sculptés dominaient le vestibule.

— Lorsque mon mari m'a annoncé qu'il allait être muté à Cincinnati, j'ai été désespérée de devoir quitter le Texas, mais il a bien fallu que je me fasse à cette idée, dit Stella Jenkins en entraînant Tommie et Teresa vers une vaste cuisine dallée de marbre blanc qu'ensoleillaient deux bow-windows.

Un plan de travail habillé de pin massif et de céramique granitée formait au milieu de la pièce une sorte d'îlot, dans lequel étaient encastrés un four à micro-ondes dernier cri, une rôtissoire et d'autres appareils ultramodernes qui semblaient s'être échappés du Salon des Arts ménagers.

— Cette villa est la plus belle que j'ai jamais vue, murmura Teresa après avoir visité Sweet Haven de la cave au grenier et embrassé le parc d'un regard admiratif.

— Votre propriété correspond en tout point à ce que recherche l'un de mes clients, madame Jenkins, déclara à son tour Tommie. Cela ne vous ennuie pas que je vienne la lui montrer à 17 heures ?

— Absolument pas ! s'exclama Stella. Je serai ravie de lui servir de guide et j'espère qu'il sera aussi enthousiaste que vous, car j'ai hâte d'aller décorer le cottage que mon mari a acheté à Cincinnati.

— A très bientôt, alors.

— A bientôt.

— Qui est cet homme dont tu as parlé ? demanda Teresa à Tommie dès qu'elles eurent quitté le quartier.

— J'aimerais pouvoir te le dire, mais je suis tenue au secret professionnel, marmonna sa sœur en regagnant le centre-ville à une vitesse qu'aucun radar n'aurait pu enregistrer. Veux-tu que je t'emmène voir les autres maisons qui figurent sur ma liste ?

— Non, merci. Comme je n'ai pas fait de sieste aujourd'hui, je me sens un peu fatiguée.

— Que préfères-tu ? Que je te dépose au pied du Silver Star ou que je te reconduise chez toi ?

— Que tu me déposes devant le restaurant et que tu m'aides à sortir de mon break le téléviseur à écran plasma que Jim m'a offert hier et dont je n'ai aucune utilité. Quand tu le lui rendras, explique à cet obstiné que j'ai apprécié sa générosité, mais que je ne tiens pas à ce qu'il m'offre de cadeaux.

— Au lieu de me choisir pour intermédiaire, tu devrais aller le trouver et lui dire ta façon de penser, lui conseilla Tommie.

— Impossible ! J'ai décidé de l'éviter jusqu'à la naissance des bébés.

— Que lui reproches-tu ?

— De se mêler de ce qui ne le regarde pas. Il se comporte comme s'il était responsable de moi et refuse d'admettre que je n'ai pas besoin de lui.

— La plupart des hommes que je connais ont un côté papa poule.

— Y compris Pete ?

— Surtout Pete ! Il s'imagine que les femmes sont des petites choses fragiles et qu'elles ne savent pas affronter seules les dures réalités de la vie.

— C'est également ce que croit Jim.

— La prochaine fois que je le verrai, je lui rendrai son téléviseur et j'essaierai de lui expliquer que tu n'as rien d'un bibelot de porcelaine.

— Merci. Tu es un amour.

Après s'être garée sous les fenêtres du Silver Star, Tommie sortit le téléviseur du coffre de Teresa, puis le cala sur la banquette arrière de son cabriolet et attendit que sa sœur se fût éloignée au volant de son break pour téléphoner à Jim.

— C'est Tommie à l'appareil ! annonça-t-elle dans le micro de son portable. Pourrais-tu venir me rejoindre à l'angle de Maple Lane et de Sanderson Road vers 17 heures ? J'ai trouvé la maison que tu cherchais.

— Déjà ! s'étonna Jim. L'as-tu montrée à Tess ?

— Oui, et elle a été emballée. Toi aussi tu le seras lorsque tu l'auras visitée. Elle est très spacieuse et magnifiquement aménagée. Il y a une grande cuisine, un cellier, un garage, un salon et quatre chambres avec salle de bains au rez-de-chaussée, une bibliothèque, un bureau et une immense mezzanine au premier. Quant au jardin, il est entouré d'une clôture de bois blanc et planté de rhododendrons.

— A qui appartient cette splendeur ?

— A Paul Jenkins, un informaticien qui l'a fait construire en 2002.

— Pourquoi veut-il s'en débarrasser au bout de trois ans seulement ?

— Parce qu'il sera obligé d'aller s'établir dans l'Ohio fin novembre.

— Le pauvre ! Il ne va pas tarder à regretter le soleil du Texas.

— Au lieu de le plaindre, réjouis-toi. Si son patron n'avait pas eu la bonne idée de le muter, tu ne pourrais pas profiter de l'aubaine.

— Plus je t'écoute parler, plus j'ai hâte d'admirer ta trouvaille ! s'exclama Jim.

— Dans ce cas, sois à l'heure au rendez-vous que je t'ai fixé.

— Je croyais que les agents immobiliers avaient tendance à surévaluer les biens qu'ils vendaient, lança Jim à Tommie après avoir visité Sweet Haven, mais je reconnais que tu ne m'as pas menti : cette maison est une pure merveille.

— C'est exactement le mot qu'a employé Tess lorsqu'elle l'a visitée, remarqua Tommie.

— Quand comptes-tu soumettre mon offre à M. Jenkins ?

— Dès que possible, mais j'aimerais d'abord te rendre le poste de télévision que tu as donné à ma sœur hier. Pendant que je la ramenais au centre-ville, elle m'a chargée de te dire qu'elle ne voulait pas de ce cadeau.

— Elle préfère son petit téléviseur préhistorique à un appareil dernier modèle ?

— Là n'est pas la question. Tess ne supporte pas qu'on lui fasse la charité. Avant de lui acheter une villa, tu devrais y réfléchir à deux fois, car il y a de fortes chances qu'elle t'envoie sur les roses.

— Tant pis ! s'exclama Jim en haussant les épaules avec fatalisme. Je tiens tellement à ce que les jumeaux et elle soient heureux que je suis prêt à prendre tous les risques.

4.

Après avoir fait une longue sieste, Teresa appela sa mère et lui annonça que la famille Tyler compterait bientôt deux nouveaux membres. Puis, craignant que Tabitha ne soit vexée de ne pas avoir reçu le moindre coup de fil, elle se hâta de lui téléphoner.

— Salut, Tab ! dit-elle dans le micro d'une voix pleine d'entrain. Tu sais ce que mon gynécologue m'a annoncé hier ? Que j'allais mettre au monde des jumeaux.

— Quelle chance ! s'exclama gaiement sa sœur. Tommie et moi aurons chacune un bébé à cajoler. Pour fêter ça, je vais t'emmener au restaurant.

— Ah non, pitié ! C'est très généreux de ta part de vouloir m'offrir à dîner, mais j'ai déjeuné en ville à midi, et si je continue à m'empiffrer, le Dr Benson sera obligé de me peser avec un pont-bascule la prochaine fois que j'irai le consulter.

— Ne t'en fais pas, je connais un aubergiste qui ne propose que des menus diététiques à ses clients.

— Je n'ai donc aucune raison de refuser ton invitation.

— Absolument aucune ! Dépêche-toi de te préparer, je passerai te prendre à 18 h 30.

— Bien, chef !

— Qu'a pensé le directeur de ton lycée du film pour adolescents que tu as réalisé ? demanda Teresa à Tabitha lorsque le maître d'hôtel qui les avait guidées jusqu'à leur table se fut éclipsé.

— Il a été tellement enthousiaste qu'il l'a montré à des proviseurs de Dallas et qu'il m'a incitée à le diffuser dans toutes les écoles du pays. Sauf empêchement de dernière minute, les autorités texanes devraient m'aider à lancer une campagne de publicité nationale dès la semaine prochaine.

— Vu le prix d'une cassette et d'un DVD, tu vas finir par gagner encore plus d'argent que Tommie !

— Si on m'avait dit cela il y a six mois, je n'aurais pas voulu le croire.

— As-tu l'intention de quitter l'enseignement ?

— Non. Et j'espère ne pas y être obligée, car il est important que je reste en contact avec les jeunes.

— De ce côté-là, tu n'as pas de souci à te faire. Grâce aux deux petits diables qui viendront bientôt agrandir la famille, tu ne risques pas de perdre la main.

— Quand tes fils seront en âge de regarder la télé, je les observerai pour voir quel genre d'émission ils préfèrent et je vendrai ensuite aux directrices de crèche des films adaptés aux enfants de moins de trois ans.

— Excellente idée ! s'exclama Tess. Tu pourrais également t'intéresser aux élèves des écoles primaires, car les instituteurs ont besoin de supports vidéo.

— J'y penserai.

Tabitha ouvrit l'un des menus empilés sur la table et balaya des yeux la liste des plats que l'aubergiste servait à ses clients.

— Es-tu heureuse, Tess ? demanda-t-elle après avoir refermé la carte.

— Oui, acquiesça Teresa sans l'ombre d'une hésitation. Je le serais beaucoup plus si j'avais un mari qui me réconfortait dans les moments difficiles, mais maman et Joël m'ont promis de s'occuper des jumeaux les jours où je serai trop fatiguée pour leur donner le biberon.

— Y a-t-il une chance que tu te réconcilies avec leur père ? lui demanda gentiment Tabitha.

— Aucune.

— As-tu dit à cet homme que tu étais enceinte de lui ?

— Pas encore.

— Quand comptes-tu lui parler ?

— Une fois que les enfants seront nés.

— Supposons qu'il te reproche de lui avoir caché la vérité pendant ta grossesse et qu'il veuille tenir son rôle de père. Que feras-tu ?

— Je lui accorderai un droit de visite avant qu'il n'ait l'idée de se lancer dans une longue bataille juridique dont personne ne sortirait vainqueur. Dès que les petits seront en âge de marcher, il pourra passer les prendre à la maison au début de chaque week-end et les emmener chez lui, mais je doute que cette idée l'enthousiasme.

— Pourquoi ?

— Parce qu'il a d'autres ambitions que de pouponner. Comme il souffre d'une allergie chronique au mariage, cela m'étonnerait qu'il ait envie d'offrir aux jumeaux la chaleur d'un vrai foyer.

— Et toi, seras-tu capable de retomber amoureuse un jour ?

— Dans les années à venir, je serai tellement occupée que je n'aurai même pas le temps d'y songer.

— Tu veux suivre l'exemple de maman et te refuser tout plaisir jusqu'à ce que tes enfants aient fini leurs études et trouvé du travail ?

— A t'écouter, on dirait que nous lui avons gâché sa jeunesse.

— « Gâché » n'est pas le mot que j'emploierais, mais reconnais que nous ne lui avons pas facilité les choses, expliqua Tabitha. Si elle n'avait pas eu trois petites filles à élever, elle aurait pu sortir le soir et rencontrer le prince charmant.

— Aucun homme n'aurait su la rendre plus heureuse que Joël.

— Reste qu'elle nous a sacrifié vingt années de sa vie et que je n'aimerais pas te voir l'imiter.

— Ne t'inquiète pas, j'essaierai de garder les yeux ouverts pour le cas où un sosie d'Apollon aurait la bonne idée de croiser ma route, répondit Tess avec humour.

— Tu me le promets ?

— Je te le jure !

Tabitha commanda deux veloutés de volaille aux noisettes, des cœurs de laitue en salade et un pichet d'eau minérale à l'une des serveuses qui se faufilaient entre les tables, puis se pencha vers sa sœur.

— As-tu déjà pensé aux prénoms que tu allais donner à tes enfants ? l'interrogea-t-elle.

— Oui. J'ai décidé d'appeler l'aîné Thomas, en souvenir de papa.

— Et le cadet ?

— Je ne sais pas. Peut-être aurai-je un éclair de génie la première fois que je le serrerai contre mon cœur.

— Si le père des jumeaux t'avait épousée, l'aurais-tu laissé choisir ?

— Naturellement. Mais vu les circonstances, il n'aura pas voix au chapitre.

— Tu lui en veux beaucoup de t'avoir quittée ?

— Non, c'est contre moi que je suis en colère. Au lieu de tomber dans les bras de cet égoïste comme une idiote, j'aurais dû me rendre compte qu'il avait tous les défauts d'un célibataire endurci.

Tabitha et Teresa dégustèrent en silence le potage et la salade que la serveuse venait de leur apporter, puis se levèrent de table et sortirent de l'auberge sous l'œil bienveillant du maître d'hôtel.

— Je n'aime pas ce quartier, déclara Tabitha après avoir raccompagné sa sœur à Westside. Pourquoi ne demandes-tu pas à Tommie de te chercher une jolie maison au centre de Fort Worth et de t'aider à y emménager ?

— Parce que je me plais ici, expliqua Teresa en gravissant les marches de son perron.

Lorsqu'elle entra dans son vestibule et qu'elle vit clignoter son répondeur, elle enfonça la touche « lecture » de l'appareil et ne put réprimer un soupir d'agacement.

« Je suis déçu que tu n'aies pas gardé mon téléviseur, Tess, lui disait Jim d'une voix réprobatrice. Passe-moi un coup de fil dès que tu seras de retour. Il faut que nous parlions. »

— Quel crampon, ce type ! grommela-t-elle avant d'effacer le message et de retirer son manteau.

A peine avait-elle suspendu ce dernier à une patère que la sonnerie perçante de son téléphone faillit lui déchirer les tympans.

— Que je suis heureuse d'avoir réussi à vous joindre ! s'exclama Evelyn Schofield quand Teresa eut décroché. Vous n'étiez pas couchée, j'espère ?

— Pas encore, la rassura Teresa. Je rentre à l'instant.

— Si je me suis permis de vous appeler, c'est parce que j'aimerais vous demander une faveur. Pourriez-vous venir déjeuner à la maison demain et me donner des conseils de décoration ?

— Avec joie. Bien que je ne sois pas experte en la matière, je serai ravie de vous aider.

— J'ai décidé de faire repeindre mon intérieur, et comme je ne sais pas quelles teintes choisir, j'ai besoin de vos lumières.

— Avez-vous un nuancier sous la main ?

— Non, mais je dirai à Jim de s'en procurer un et de nous l'apporter.

— Inutile de le déranger ! Je… je m'occuperai de tout moi-même.

— Merci, mon petit. C'est très gentil à vous.

Après avoir salué Evelyn et raccroché, Teresa monta au premier étage et prit un bon bain chaud. Quand elle entra dans sa chambre, une serviette-éponge enroulée autour de sa poitrine, le gros téléphone noir qui encombrait sa table de chevet se mit à sonner.

— Allô, Tess ! lança une voix qu'elle aurait reconnue entre mille. Tu n'as pas reçu mon message ?

— Si, maugréa-t-elle, furieuse de ne pas avoir vérifié le nom de son correspondant avant d'empoigner le récepteur, mais j'étais tellement fatiguée que je n'ai pas eu la force de te rappeler.

— Ma mère vient de me dire que tu voulais bien l'aider à décorer sa maison et que tu étais un ange.

— Oh ! n'exagérons rien. J'ai juste accepté de lui donner deux ou trois conseils.

— Pourquoi m'as-tu rendu mon poste de télévision ?

— Parce que je ne suis pas une inconditionnelle des écrans plats et de…

— Ne gaspille pas ta salive, Tess ! la coupa-t-il. Je sais pertinemment ce qui t'a empêchée de garder mon cadeau.

— C'est à ma fierté que tu penses ?

— Non. A la colère que tu éprouves envers moi depuis que je t'ai mise enceinte.

En entendant cela, Teresa se laissa tomber sur son lit, le cœur battant à tout rompre.

— Où… où es-tu allé chercher une idée pareille ? jeta-t-elle d'une voix étranglée.

— Dans mes souvenirs, rétorqua Jim en appuyant chacun de ses mots. Comme j'ai une excellente mémoire, je n'ai pas oublié la nuit que nous avons passée ensemble.

— Qui te dit que je n'avais pas un petit ami à ce moment-là ?

— Mon intuition. Et elle ne m'a jamais trompé.

— Il y a un début à tout.

— Pas forcément. Je sais, par exemple, que ta prétendue liaison avec Roger Arnsby n'a duré que l'espace d'un banquet.

— Qui t'a raconté cela ?

— Peu importe ! L'essentiel est que je sois au courant.

— Ce n'est pas parce que tu as eu le toupet d'enquêter sur ce pauvre Roger que tu dois te prendre pour Sherlock Holmes, rétorqua Tess.

— Qui d'autre que lui et moi as-tu fréquenté cet été ?

— Le jour où je te répondrai, les poules auront des dents, s'écria Teresa avant de raccrocher.

Une erreur monumentale... En avouant à Teresa qu'il avait deviné la vérité concernant les jumeaux, Jim avait commis une erreur monumentale qu'elle pourrait bien lui faire payer jusqu'à la fin des siècles.

« Si je ne veux pas qu'elle me tienne à distance pendant sa grossesse et qu'elle me prive ensuite du bonheur de voir grandir mes enfants, il va falloir que je trouve un moyen de l'amadouer », se répéta-t-il inlassablement tout au long de la nuit.

Quand les premiers rayons du soleil se faufilèrent entre les lames de ses persiennes, il sauta à bas de son lit, la mine sombre, et alla prendre une douche froide pour essayer de se rafraîchir les idées. Puis, se rappelant que sa mère avait invité Teresa à déjeuner, il sentit un sourire lui monter aux lèvres.

— La voilà, l'occasion dont je rêvais ! murmura-t-il, l'esprit en ébullition.

— Ah, zut ! maugréa Teresa lorsqu'elle arriva devant l'imposante demeure de style géorgien où habitait Evelyn Schofield et qu'elle aperçut le 4x4 de Jim garé au pied du perron. Si j'avais pu me douter que cet enquiquineur serait là, je serais restée chez moi.

Résistant de justesse à l'envie qui lui venait de rebrousser chemin, elle se gara le long du trottoir, empoigna le nuancier que lui avait donné le gérant d'un magasin de peinture et sortit de son break en affichant l'air d'un condamné qu'on mène à l'échafaud.

— Quel plaisir de vous revoir, ma chère petite ! s'exclama Evelyn en ouvrant la porte et en lui faisant signe d'entrer.

— Votre maison est tellement belle, madame Schofield, que je ne comprends pas pourquoi vous voulez la rénover, observa Teresa.

— Mon fils ne vous a pas dit que j'aimais le changement ?

— Non. Je... je n'ai pas souvent eu l'occasion de bavarder avec lui.

— Puisqu'il va déjeuner en notre compagnie, vous allez pouvoir vous rattraper, lui dit Evelyn Schofield avec un sourire en coin.

— J'ignorais que vous l'aviez invité.

— Oh ! je n'ai pas eu besoin de lui téléphoner. Il est arrivé il y a un quart d'heure et a prétendu qu'il avait l'estomac dans les talons, mais je ne crois pas qu'il se soit déplacé jusqu'ici simplement parce qu'il mourait de faim.

— Salut, Tess ! lança Jim en surgissant d'une étroite véranda où oscillait un rocking-chair. Comme je n'avais pas trop de travail aujourd'hui, j'ai décidé de venir admirer la palette d'échantillons que tu avais promis de montrer à ma mère.

— Je ne savais pas que tu avais une âme de décorateur, répliqua Teresa d'un ton acerbe. Si je l'avais deviné, je t'aurais envoyé le nuancier par la poste et je t'aurais laissé exercer tes talents.

De crainte que la discussion ne tourne à l'orage, Evelyn entraîna la jeune femme vers la salle à manger, puis s'assit en face d'elle et fit tinter la jolie clochette qui trônait sur la table.

Trois secondes plus tard, une vieille dame tout

de noir et de blanc vêtue jaillit de l'office, les bras chargés d'un plateau.

— Quel régal ! murmura Teresa après avoir goûté à la mousseline d'écrevisses qu'on venait de lui servir.

— Maria, ma cuisinière, est un tel cordon-bleu, lui confia Evelyn, que je ne voudrais m'en séparer pour rien au monde.

— Il y a longtemps qu'elle est à votre service ?

— Très longtemps. Je l'ai engagée avant la naissance de Pete et de Jim.

— As-tu dit à ma mère que tu allais avoir des jumeaux, Tess ? demanda ce dernier entre deux bouchées.

— Des jumeaux ! répéta Evelyn, le regard brillant d'excitation. Avez-vous déjà choisi les prénoms que vous leur donnerez ?

— L'aîné s'appellera Thomas en souvenir de mon père, l'informa Teresa, mais je ne sais pas comment je baptiserai le cadet.

— Ne crois-tu pas que tu aurais dû consulter leur papa avant de prendre la moindre décision ? bougonna Jim.

— Puisqu'il ne jouera qu'un rôle mineur dans leur vie, riposta la jeune femme d'un ton corrosif, je ne vois pas en quoi son opinion pourrait m'intéresser.

— Qu'est-ce qui te permet d'affirmer qu'il ne veut pas s'occuper de ses fils ?

— Le simple bon sens. Les égoïstes tels que lui ont rarement la fibre paternelle.

— Plutôt que de débiter des sottises, tu ferais mieux de…

— Laisse notre invitée tranquille, Jim, coupa Evelyn. Ce qu'il y a entre son ex-petit ami et elle ne nous concerne pas.

— Tu te trompes, maman, lâcha-t-il, les traits durcis. Nous sommes les premiers…

— Tais-toi, lui intima Teresa, ou je te jure que tu le regretteras.

— Que se passe-t-il, mes enfants ? s'étonna Evelyn. Vous savez quelque chose que j'ignore ?

— Oui, grommela Jim. Je vais bientôt être pa…

— Veuillez m'excuser, madame Schofield, l'interrompit Teresa en bondissant de sa chaise, mais il faut que je rentre à la maison.

Puis, impatiente de se dérober au regard de Jim, elle sortit de la pièce comme une bourrasque.

— Personne ne t'a dit qu'il était impoli de se

lever de table au beau milieu d'un repas ? lui jeta-t-il après l'avoir rattrapée.

— Pas plus impoli que de trahir un secret, maugréa-t-elle, rouge de colère. Lorsqu'une femme est enceinte d'un inconnu, c'est elle qui doit révéler l'identité de cet homme à son entourage.

Et, sans laisser à Jim le loisir de riposter, elle s'éloigna avec colère.

— Qu'as-tu essayé de m'expliquer il y a cinq minutes ? lança Evelyn à son fils dès qu'il eut regagné la salle à manger.

— Que j'étais le père des jumeaux, avoua-t-il de but en blanc.

— Je te demande pardon ?

— Tu m'as très bien entendu. Le mystérieux « égoïste » dont nous a parlé Tess n'est autre que moi.

— Quand comptes-tu l'épouser ? lui demanda sa mère.

— Quand elle sera décidée à se marier.

— Ce qui n'est pas le cas actuellement ?

— Non.

— Lui as-tu proposé de régulariser la situation ?

— Pas encore.

— J'espère que tu vas vite la demander en mariage,

car je ne tiens pas à ce que mes petits-enfants soient un jour traités de bâtards.

— Le problème, c'est que Tess n'est pas du genre à se mettre la corde au cou pour respecter les usages, répondit Jim en soupirant. Si je réussissais malgré tout à la persuader de devenir ma femme, nous ne serions pas heureux ensemble.

— Heureux, vous avez déjà dû l'être l'été dernier, répondit sèchement Evelyn. Maintenant que Teresa est enceinte de toi, il ne te reste plus qu'à assumer tes responsabilités et à te conduire en gentleman.

— Tu as raison, maman, comme d'habitude, bougonna Jim avant de s'élancer vers son 4x4 et de démarrer, le pied au plancher.

Dès qu'il arriva à Westside, il acheta des hamburgers et deux canettes de thé glacé à un marchand ambulant, puis remonta Oak Street et s'arrêta sous les fenêtres de Teresa dans un crissement de pneus.

— Ouvre, Tess, intima-t-il en martyrisant la sonnette. Je t'ai apporté des sandwichs et des boissons fraîches.

— Fiche le camp, espèce de traître ! hurla-t-elle. Je n'ai besoin de rien.

— Si tu refuses de me laisser entrer et que tu meurs d'inanition, ma mère ne me le pardonnera jamais. Elle est désolée que tu n'aies pas pu goûter au bœuf Stroganoff et à la tarte meringuée que Maria t'avait préparés.

— A qui la faute ?

— A moi et à moi seul, je le sais. C'est pour cela que je suis venu m'excuser.

Les lèvres boudeuses, Teresa tira le lourd panneau de chêne qui la séparait de Jim et le regarda enfiler le vestibule sans esquisser le moindre sourire.

— Puisque tu daignes enfin te montrer raisonnable, j'ai quelque chose à te demander, dit-il dès qu'elle l'eut rejoint dans la cuisine. Veux-tu m'épouser ?

5.

— Non, merci, répondit Teresa comme si Jim lui avait proposé un simple verre d'eau.

— Non, merci ? répéta-t-il, éberlué. Pourquoi refuses-tu de m'épouser ?

— Parce que je n'ai aucune envie de me marier avec un égoïste tel que toi. Cela t'étonne ?

— Pas vraiment, mais je croyais que tu prendrais le temps de réfléchir et que tu me donnerais ta réponse à la fin de la semaine.

— A quoi bon te faire patienter jusque-là puisque je sais déjà que je ne veux pas me marier avec toi ?

— Ma mère va être très déçue que tu ne veuilles pas fonder de foyer. Après ton départ, je lui ai dit que j'étais le père des jumeaux et elle est persuadée que nous allons régulariser la situation.

— C'est elle qui t'a conseillé de venir me trouver ?

— Oui. Elle estime qu'il est de mon devoir de te conduire à l'autel avant la naissance des enfants.

— Et toi, que penses-tu ?

— La même chose qu'elle. J'ai fait une grave erreur cet été et il ne me reste plus qu'à réparer mes torts.

Teresa s'adossa à la fenêtre de sa cuisine et entama rageusement l'un des deux hamburgers que Jim lui avait apportés.

— Ton romantisme te perdra, Schofield, jeta-t-elle avec une sombre ironie. Ta demande en mariage était tellement émouvante que j'en suis encore toute chavirée.

— Si tu ne t'étais pas assoupie dans mes bras mercredi dernier, quand nous avons regardé le premier match du championnat de base-ball à la télévision, je t'aurais priée de m'épouser et j'y aurais mis les formes.

— Tu parles ! Tout ce qui t'intéresse, c'est additionner des chiffres et arrêter des bilans.

— Tu ne me crois pas capable d'oublier mon métier l'espace d'une soirée et de te faire une déclaration enflammée ?

— Non. Il n'y a pas plus terre à terre que toi de Dallas à Chicago et de New York à San Francisco. Quand tu m'as proposé de devenir ta femme il y a cinq minutes, on aurait dit que tu m'offrais une bouteille d'eau plate ou un vulgaire cornet de frites !

Sentant des larmes de dépit lui brûler les paupières, Teresa lança sur la table les restes de son hamburger, puis quitta la cuisine comme une trombe et monta s'enfermer dans son bureau.

— Sors de là, Tess, hurla Jim après avoir gravi quatre à quatre les marches de l'escalier. Il faut que nous discutions.

— De quoi ? demanda-t-elle à travers la porte.

— Du bonheur de nos enfants. J'aimerais t'aider à les élever.

— Dès qu'ils sauront marcher, tu pourras t'occuper d'eux le week-end, mais pour le moment, je veux que tu me fiches la paix.

— Si tu t'imagines que je vais te laisser tranquille jusqu'à la naissance des jumeaux et me contenter ensuite d'un banal droit de visite, tu te berces d'illusions.

— C'est ce qu'on verra.

— Oh ! c'est déjà tout vu.

— As-tu autre chose à me dire ?

— Non.

— Alors, va-t'en, ou j'appelle la police.

Après avoir essayé en vain d'ouvrir le lourd

panneau de bois que Teresa avait fermé à clé, Jim pivota d'un bloc sur lui-même et dégringola l'escalier en pestant contre l'incroyable entêtement de la jeune femme.

Furieux de ne pas avoir su l'amadouer, il se glissa derrière le volant de son 4x4 et allait faire vrombir le moteur quand son portable se mit à sonner.

— Allô ! hurla-t-il dans le micro. Qui est à l'appareil ?

— Tommie, lâcha sa belle-sœur, apparemment étonnée par son accueil. Je te dérange ?

— Pas du tout. Pourquoi me téléphones-tu ?

— Pour t'annoncer que les Jenkins ont accepté ton offre et qu'ils signeront l'acte de vente dans deux semaines.

— Génial !

— Tu n'as pas l'air de très bonne humeur. Que se passe-t-il ?

— J'ai demandé à Tess de m'épouser et elle a failli me rire au nez.

— Je t'avais prévenu qu'elle ne voudrait pas d'un mariage sans amour.

— Pourrais-tu l'appeler et lui démontrer qu'elle a tort de se buter ?

— Je vais essayer, mais je ne te promets pas d'y

arriver, répondit gentiment Tommie. Dès que j'aurai du nouveau, je te le dirai.

— Merci.

— Ouf ! s'écria Teresa lorsque, par la fenêtre de son cabinet de travail, elle vit Jim tourner le volant de son 4x4 et s'éloigner à pleins gaz. J'ai cru que j'allais devoir porter plainte contre cet obstiné pour violation de domicile et harcèlement moral.

Vexée qu'il eût osé qualifier de « grave erreur » la merveilleuse nuit qu'ils avaient passée ensemble, elle s'assit à son bureau et rédigea deux chapitres de son livre d'un seul jet.

— Si j'avais su que la colère était un tel stimulant, il y a des semaines que je me serais disputée avec Jim, murmura-t-elle trois secondes avant que la sonnerie de son téléphone ne la fasse sursauter.

— Salut, Tess, c'est Tommie, lança sa sœur d'une voix enjouée. Tu étais en train d'écrire ?

— Oui, confirma Teresa, les jambes engourdies. Quelle heure est-il ?

— Presque 16 heures. Excuse-moi de t'avoir interrompue dans ton travail, mais j'aimerais que tu viennes à la maison ce soir. Pete et moi allons préparer une blanquette de veau dont tu nous diras des nouvelles.

— Désolée, mais je suis trop fatiguée pour sortir. Une autre fois peut-être…

— Tu as quelque chose à me reprocher ? lui demanda Tommie d'une voix attristée.

— Non, rien du tout, la rassura Teresa.

« Si ce n'est d'avoir épousé un Schofield et de vouloir me tendre un piège », se retint-elle toutefois de préciser avant de saluer sa sœur et de se remettre à pianoter sur le clavier de son ordinateur.

— Comment se fait-il qu'il n'y ait que trois assiettes ? s'inquiéta Jim lorsqu'il arriva chez son frère à la tombée de la nuit et que, par la porte grande ouverte de la cuisine, il aperçut la table qu'avait dressée Tommie.

— J'ai téléphoné à qui tu sais, répliqua cette dernière avec des mines de conspiratrice, mais elle a dû se douter que je t'avais invité, toi aussi, car elle a refusé de venir dîner à la maison.

— De qui diable parlez-vous ? interrogea Pete, les yeux arrondis de perplexité.

— De Tess, grommela Jim. Je lui ai demandé de m'épouser et elle m'a envoyé paître.

— Laisse-lui le temps de s'habituer à cette idée et n'avoue surtout pas à maman que tu es le père des jumeaux, lui conseilla Pete.

— Trop tard ! Je l'ai déjà mise au courant.

— Quand cela ?

— Aujourd'hui, pendant le déjeuner. J'ai cru qu'elle pourrait m'aider à raisonner Tess.

— On voit bien que tu ne connais pas ma sœur, lança Tommie à Jim. Elle ne supporte pas qu'on lui force la main. Lorsqu'elle était enfant, elle était plus fière et plus têtue que Tabitha et moi réunies.

— Ah, mon pauvre vieux ! s'exclama Pete en tapotant l'épaule de son frère. Si Tess est pire que les autres Tyler, tu n'es pas au bout de tes peines.

— En quels termes lui as-tu proposé de partager ta vie ? demanda Tommie à Jim.

— Je lui ai dit qu'il était de mon devoir de réparer les torts que j'avais envers elle.

— Et tu t'étonnes qu'elle t'ait repoussé ? Aucune femme n'accepterait d'épouser un homme qui considère le mariage comme une obligation.

— Tu aurais préféré que je mente à Tess et que je fasse semblant de l'aimer à la folie ?

— Non. Ce que je voudrais, c'est que tu sois réellement amoureux d'elle.

— Bien que je trouve ta sœur très belle et très intelligente, je n'aurais pas eu l'idée de lui demander sa main si elle n'avait pas été enceinte, répondit Jim avec franchise.

— Au lieu de ne voir en elle que la mère de tes futurs enfants, courtise-la et apprends à mieux la connaître !

— Tu ne crois pas qu'il serait plus honnête de ma part de jouer cartes sur table et de chercher un terrain d'entente avec elle ?

— Tu peux toujours essayer de négocier, mais je ne suis pas sûre que tu réussisses à la convaincre de te suivre à l'autel.

— As-tu dit à Tess que tu avais décidé de lui acheter une superbe villa ? lança Pete à son frère.

— Je n'en ai pas encore eu l'occasion, marmonna Jim. Et, remontée comme elle l'est contre moi, je doute qu'elle ait envie de s'y installer.

— Que vas-tu faire si vous n'arrivez pas à vous réconcilier ?

— Quitter mon appartement et emménager seul à Sweet Haven. Je ne veux pas que la maison reste vide pendant des années.

— Avant de mettre ton duplex en vente, tu devrais téléphoner à ma sœur et lui parler de tes projets, conseilla Tommie à Jim. Il n'est pas certain que cela serve à grand-chose, mais qui sait ?

— D'accord. Je l'appellerai ce week-end, promit-il.

*
* *

Le lendemain matin, vers 10 heures, une rafale de coups de sonnette tira Teresa du profond sommeil dans lequel elle était plongée.

Les paupières lourdes, elle descendit au rez-de-chaussée en prenant soin de ne pas glisser dans l'escalier, puis ouvrit la porte du hall à toute volée… et faillit heurter une gerbe d'œillets.

— Mademoiselle Tyler ? lui demanda l'homme vêtu d'un uniforme bleu marine qui venait de sonner.

— Oui, répondit Teresa, intriguée.

— Veuillez signer ici.

Après avoir paraphé le bon de livraison que brandissait son interlocuteur et saisi le bouquet, la jeune femme balaya des yeux le petit rectangle de bristol glissé entre les tiges et sourit.

« Je regrette de m'être mal conduit hier, avait écrit Jim à grands traits de plume. Me pardonneras-tu d'avoir perdu mon sang-froid ? »

Le cœur léger comme une bulle de champagne, Teresa arrangea les fleurs dans le vase en cristal de Murano que lui avait offert Tabitha à Noël, puis s'assit sur son canapé et attendit le coup de fil que

Jim n'allait pas manquer de lui passer. Mais son téléphone resta obstinément muet.

— Je crois que votre papa m'a oubliée, mes amours, dit-elle aux jumeaux qui, devinant son désarroi, se mirent à gigoter.

Pour essayer de les calmer, elle leur fredonna la berceuse que sa mère lui chantait quand elle était enfant et s'endormit au beau milieu du refrain.

Lorsque sa sonnette la réveilla le lendemain matin, elle s'élança vers la porte d'entrée et se crut victime d'une hallucination. Vêtu du même uniforme que la veille, les bras encombrés de roses rouges, le livreur s'impatientait en haut du perron.

« Pourrais-je te parler ? » avait écrit Jim sur la carte de visite qu'il avait jointe au bouquet.

— Bien sûr que tu le peux, idiot ! s'écria-t-elle, une fois seule. Mais encore faudrait-il que tu te décides à m'appeler.

Exaspérée, elle alla déposer la gerbe dans l'un des bacs de son évier, puis monta prendre une douche et s'habiller.

A peine avait-elle regagné le rez-de-chaussée que son téléphone daigna enfin sonner.

— Viens à la maison ce soir, la supplia Tommie. Jim voudrait te rencontrer en terrain neutre.

— Pourquoi t'a-t-il chargée de me faire la commission ?

— Parce qu'il a eu peur que tu ne lui raccroches au nez. Vu la violente dispute qui vous a opposés l'un à l'autre vendredi dernier, il serait plus sage que vous évitiez les longs tête-à-tête jusqu'à ce que vous ayez réussi à renouer le dialogue.

— Beaucoup plus sage, en effet, répéta Tess avec froideur.

— Est-ce à dire que tu acceptes mon invitation ?

— Oui, finit par répondre Teresa à contrecœur. Qu'aimerais-tu que je t'apporte ?

— Ta fameuse tarte aux carottes et à la crème chantilly. Pete et moi en raffolons.

— Très bien ! Je vais aller acheter les ingrédients à l'épicerie.

— Jim passera te prendre vers 19 heures et t'amènera à la...

— Certainement pas ! la coupa Tess. Je t'ai déjà expliqué que j'étais capable de conduire.

— Sois prudente, alors.

— Je te le promets.

*
* *

— Qu'est-ce qu'elle fabrique ? maugréa Jim en arpentant le salon de Pete et de Tommie. Il y a vingt minutes qu'elle devrait être là !

— S'il était arrivé quoi que ce soit à Tess, déclara son frère, elle nous aurait appelés.

— A condition qu'elle n'ait pas eu d'accident et qu'elle soit en mesure de téléphoner.

— Plutôt que d'envisager le pire, tu ferais mieux de penser à ce que tu lui raconteras quand tu te retrouveras face à elle.

— J'y ai déjà réfléchi, figure-toi ! Après le dîner, je lui montrerai à quel point il est important qu'elle m'épouse pour le bien de nos enfants.

— Tu as oublié ce que Tommie t'a dit vendredi soir ?

— Non. Je ne suis pas amnésique.

— A t'entendre, on pourrait en douter. Chaque fois que tu te mets à parler mariage, tu n'as que le mot « enfants » à la bouche. Or, si Tess s'est jetée dans tes bras cet été et si elle a décidé ensuite de garder les bébés, c'est probablement parce qu'elle t'aime. Il faudrait donc que tu t'intéresses à elle et que tu…

Un coup de sonnette retentit et interrompit Pete.

— Je vais ouvrir, cria Tommie avant de quitter

le salon comme une flèche et de réapparaître trois minutes plus tard en compagnie de Teresa.

— Ça sent bon ici, remarqua cette dernière. Qu'y a-t-il au menu ?

— Des spaghettis à la milanaise, tout simplement, l'informa Pete. Mes talents de cuisinier laissent à désirer, mais je m'améliore de jour en jour.

— Asseyons-nous, suggéra Tommie en entraînant sa sœur et son mari vers la table qu'elle avait dressée au fond du salon.

« Aïe ! pensa Jim quand il croisa le regard de Teresa et qu'il y vit briller une lueur de colère. La partie n'est pas encore gagnée. »

6.

« Cette soirée est l'une des meilleures que j'aie jamais passées », se dit Teresa à la fin du dîner.

En bonne maîtresse de maison soucieuse du bien-être de ses hôtes, Tommie avait rivalisé d'humour avec Pete tout au long du repas et s'était efforcée d'éviter les sujets épineux.

— Ton gâteau est un délice, lança Jim à Teresa après avoir goûté à la tarte qu'elle avait confectionnée. Je ne savais pas qu'on pouvait manger des carottes au dessert.

— Va dans n'importe quelle pâtisserie du centre-ville, répliqua-t-elle, et tu verras que je ne suis pas la seule à utiliser des ingrédients plus originaux que les pommes ou les fraises.

— Contrairement à Pete et moi, qui avons encore des progrès à faire, Tess est un vrai cordon-bleu, déclara Tommie. Dommage que sa kitchenette ne soit pas mieux équipée !

— Lorsque nous sommes allées visiter Sweet Haven et que Mme Jenkins nous a montré sa cuisine, j'ai failli mourir de jalousie, se rappela Teresa.

— Je suis heureux que la villa t'ait plu, Tess, marmonna Jim en effleurant d'un doigt fébrile le contour de son assiette, car j'en serai bientôt propriétaire.

— Ah bon ! s'écria-t-elle. Quand comptes-tu y emménager ?

— Ce n'est pas pour moi que j'ai décidé de l'acheter, c'est pour nos enfants. J'aimerais qu'ils grandissent dans une jolie maison et qu'ils y soient en sécurité. Comme ton quartier est plutôt mal famé, tu pourras t'installer à Sweet Haven dès que les Jenkins seront partis.

— A supposer que j'accepte ton hospitalité, où habiteras-tu pendant ce temps-là ?

— Dans mon duplex. Je ne le vendrai que si tu consens à m'épouser.

— Nous avons déjà parlé de cela vendredi dernier et tu sais très bien ce que je pense de ta demande en mariage, répondit Teresa, qui avait subitement perdu sa bonne humeur. Au lieu d'espérer un miracle, tu devrais te débarrasser de ton vieil appartement.

— Tu n'as pas l'intention de quitter Westside avant la naissance des bébés ?

— Non, mais je te remercie de vouloir leur offrir ce qu'il y a de mieux. Lorsqu'ils auront un an, ils seront ravis que tu les emmènes jouer dans ton beau jardin chaque week-end.

Blessée que Jim n'ait eu l'idée d'acheter Sweet Haven que pour y élever les jumeaux, Teresa lâcha la serviette damassée avec laquelle elle venait de s'essuyer les lèvres et se leva.

— Il faut que je rentre, dit-elle à Tommie en regagnant le vestibule. La journée a été longue et j'ai hâte de me mettre au lit.

— Tu es sûre que tout va bien ? lui demanda sa sœur après l'avoir rejointe.

— Sûre et certaine. Je suis juste un peu fatiguée.

— Tu n'es pas contente que Jim soit le futur propriétaire de l'une des plus jolies maisons qu'ait jamais vendues mon agence ?

— Si. Je trouve formidable qu'il se soucie à ce point du bonheur de nos enfants.

— Ce n'est pas sa seule préoccupation. Il aimerait également que tu…

— Au revoir, Tommie, coupa Teresa avant d'ouvrir la porte et de se réfugier à l'intérieur de son break, les yeux embués de larmes.

***

— Pourquoi cette tête de mule m'a-t-elle repoussé encore une fois ? grommela Jim en se levant de table.

— Parce que tu as manqué de tact et de psychologie, répliqua son frère. Au lieu de lui avouer que tu voulais acheter la villa des Jenkins à l'intention des jumeaux, tu aurais dû lui dire que tu rêvais de t'y installer *avec elle.*

— Qu'est-ce que cela aurait changé ?

— Tout ! Tess est très sensible et ton attitude de ce soir lui a certainement fait de la peine.

— Je me suis montré courtois envers elle et je ne vois pas à quel moment j'ai pu la blesser.

— L'ennui, Jim, c'est que tu ne connais rien aux femmes et que tu collectionnes les bévues comme d'autres les timbres-poste ou les papillons. Depuis que cette fille dont tu t'étais entiché quand nous étions en terminale t'a laissé tomber, tu t'imagines que l'amour n'existe pas.

— A quoi bon déterrer le passé ? Il n'y a aucun rapport entre ce qui m'est arrivé l'année du bac et mes relations actuelles avec Tess.

— En es-tu sûr ? insista Pete.

— Oui. Maintenant que je vais être papa, je n'ai

plus qu'une idée en tête : offrir une vie de rêve à mes enfants. Et pour cela, il faut que leur mère accepte de déménager. Crois-tu que si j'emploie les grands moyens, elle finira par céder ?

— Je ne sais pas à quelles méthodes tu veux recourir, mais ça m'étonnerait que tu réussisses à la persuader de quitter Westside. Tess et Tommie sont très indépendantes et ont horreur d'être manipulées.

— Merci de ton soutien, mon vieux ! ironisa sombrement Jim. Comme je ne suis pas candidat au suicide, je me garderai bien de te consulter la prochaine fois que j'aurai le moral à zéro.

— Je parie que c'est encore le fleuriste qui s'impatiente devant chez moi. Jim a dû lui demander de me livrer une magnifique gerbe de roses ou de glaïeuls pour s'excuser de son attitude d'hier, murmura Teresa le lendemain matin, lorsque son carillon se mit à chanter.

Après avoir jailli de ses draps et enfilé un peignoir, elle descendit ouvrir la porte d'entrée et se figea dans l'embrasure, les yeux écarquillés de stupeur.

— Que… que fais-tu ici, Jim ? balbutia-t-elle en le laissant entrer.

— Je suis venu te parler, répondit-il, un sourire au coin des lèvres. Je ne t'ai pas réveillée, j'espère ?

— Non. J'étais au lit quand tu as sonné, mais je ne dormais plus.

— Comme je me doutais que tu n'aurais pas pris ton petit déjeuner, je me suis arrêté en cours de route et je t'ai acheté des pains aux raisins.

— Cela ne t'ennuie pas que je monte m'habiller avant d'y goûter ?

— Pas le moins du monde. Pendant que tu te prépares, je vais aller mettre la table.

Dès que Jim se fut engouffré à l'intérieur de la cuisine, Teresa regagna sa chambre à toute vitesse et faillit s'évanouir de honte quand elle aperçut son reflet dans le miroir de sa coiffeuse. Avec ses cheveux mal tressés et son peignoir délavé dont elle avait oublié de nouer la ceinture, elle ressemblait à une chiffonnière.

— Pas étonnant qu'aucun homme ne soit amoureux de moi ! maugréa-t-elle en s'élançant vers son placard.

Après avoir défait ses nattes et troqué son pyjama de flanelle contre une jolie robe indigo, elle ombra ses paupières de poudre bleutée, puis posa sur ses lèvres une touche de brillant et redescendit au rez-de-chaussée.

— Oh ! tu n'aurais pas dû te servir de mon percolateur, s'exclama-t-elle à la vue des deux mazagrans que venait de remplir Jim. Le Dr Benson m'a interdit de boire du café parce que cela pourrait nuire à la santé des jumeaux.

— Que prends-tu à la place ?

— Du jus d'orange.

— Veux-tu que j'aille en acheter à l'épicerie du coin ?

— Non, merci, j'ai tout ce qu'il me faut.

— As-tu senti les bébés bouger ces derniers jours ?

— Oui. Dès que je m'allonge sur mon lit et que j'essaie de m'endormir, ils se mettent à gigoter.

— Comment fais-tu pour les calmer ?

— Je leur fredonne les berceuses que me chantait ma mère lorsque j'étais petite.

Teresa sortit une bouteille de jus d'orange de son réfrigérateur et s'assit en face de Jim.

— Quand dois-tu revoir ton médecin ? lui demanda-t-il.

— Pas avant trois semaines et demie. Je n'ai rendez-vous avec lui que le premier mercredi de chaque mois.

— Pourrai-je assister à ta prochaine consultation ?

— Naturellement. Puisque tu es le père des jumeaux, il est normal que tu m'accompagnes chez le Dr Benson.

— Répète ce que tu viens de dire ?

— Puisque tu es le père des jumeaux, il est normal que…

— Enfin ! coupa Jim, tout sourire. Je croyais que tu ne réussirais jamais à prononcer ces mots-là.

— Ce n'est pas parce que j'ai cessé de nier l'évidence que je vais quitter Westside, répliqua-t-elle.

— Si tu refuses de t'installer à Sweet Haven, il me sera difficile de veiller sur toi.

— Combien de fois faudra-t-il que je t'explique les choses pour que tu les comprennes ? Je n'ai besoin de l'aide de personne… De *personne*, tu entends ?

— Inutile de hurler ! Je ne suis pas sourd.

— Vu tes réactions, il m'arrive d'en douter.

— Mon entêtement n'est pas pire que le tien. Quand daigneras-tu te montrer raisonnable et déménager ?

— Ni avant ni après la naissance des jumeaux. Je n'ai aucune envie d'accepter ton hospitalité, même provisoirement.

— Lorsque j'ai décidé d'acheter la villa des

Jenkins, je pensais que tu viendrais y habiter et que nous finirions par nous marier.

— Comment pourrais-je t'épouser, Jim ? Tu tiens tellement à ta liberté que, si tu devais y renoncer à cause de moi, tu m'accuserais de t'avoir piégé.

— Tu n'as pas peur que nos enfants se fassent traiter de bâtards ?

— Non. Il vaut mieux qu'ils aient des parents célibataires plutôt qu'un père et une mère qui portent une alliance et qui se haïssent cordialement.

— Le jour où je te haïrai, Tess, il neigera sous les tropiques, répondit Jim.

— Tu dis cela maintenant parce que tu as décidé d'assumer tes responsabilités, mais il suffirait de peu de choses pour que tu me détestes. Imaginons, par exemple, que tu tombes amoureux d'une jolie jeune femme après m'avoir épousée et que tu aies envie de fonder une famille avec elle malgré ta phobie du mariage. Ne m'en voudras-tu pas d'être un obstacle à ton bonheur ?

— Comme celle qui arrivera à me tourner la tête n'est pas encore née, je ne vois pas l'intérêt d'échafauder ce genre d'hypothèse, répondit Jim en haussant les épaules.

En proie à une brusque nausée, Teresa lâcha le

petit pain aux raisins dans lequel elle venait de mordre à belles dents et s'élança vers l'évier.

— Ne reste pas là, Jim, marmonna-t-elle en ayant l'impression que son estomac entamait un triple saut périlleux et n'en finissait pas de virevolter. Si tu as des questions à me poser concernant les jumeaux, appelle-moi et je te répondrai, mais ne remets plus les pieds ici, je t'en supplie.

Dès que Jim eut quitté la cuisine et claqué derrière lui la porte d'entrée, Teresa regagna sa chambre d'un pas lourd, puis s'allongea entre les rideaux de dentelle de son lit à baldaquin et ferma les yeux.

Lorsque la sonnerie de son téléphone la tira de sa léthargie au milieu de la matinée, elle chercha le récepteur à tâtons et le plaqua contre son oreille.

— Comment vas-tu, Tess ? lui demanda Tommie d'une voix pleine de sollicitude.

— Ni bien ni mal. Il y a plus d'une heure que je suis étendue dans le noir et que j'essaie désespérément de trouver le sommeil.

— Jim m'a dit que vous vous étiez querellés encore une fois et qu'il était inquiet à ton sujet. Pourquoi refuses-tu de te marier avec lui ?

— Parce que ce serait une grossière erreur, Tommie. Si j'acceptais de l'épouser, il se sentirait piégé.

— Tu veux que je vienne chez toi cet après-midi et que nous en discutions ?

— Non merci. Ma décision est prise et personne ne pourra me faire changer d'avis.

— Pas même maman ?

— Pas même elle. Je sais qu'elle adore Jim et qu'elle serait heureuse de l'avoir comme gendre, mais je ne la laisserai pas m'influencer.

Le cœur au bord des lèvres, Teresa salua Tommie d'un rapide « au revoir » et se hâta de raccrocher.

— Quel calvaire, ces nausées ! s'exclama-t-elle avant que son téléphone ne se remette à sonner.

— Evelyn Schofield à l'appareil, lança la mère de Jim. Vous allez bien, mon petit ?

— Fabuleusement bien, prétendit Teresa alors que son estomac jouait au bilboquet. Et vous ?

— Oh ! moi, je suis dans une forme olympique. J'ai passé la matinée à acheter des brassières, des chaussons et de superbes hochets pour les jumeaux.

— C'est très aimable à vous, mais il n'y avait pas urgence.

— Mieux vaut s'y prendre trop tôt que trop tard. Comme Jim m'a dit qu'il désirait acquérir une grande propriété dans Maple Lane, il va falloir que je trouve un cadeau de mariage assorti à votre nouvelle…

— Ne vous donnez pas cette peine, madame Schofield, la coupa Teresa. Je n'ai pas l'intention d'épouser votre fils ni d'emménager à Sweet Haven.

— Jim le sait-il ? demanda Evelyn Schofield, apparemment choquée.

— Oui. Je le lui ai expliqué en long, en large et en travers. S'il se confie à vous et qu'il vous demande de l'aider à me raisonner, répondez-lui que je ne changerai jamais d'avis.

Fatiguée de devoir constamment se justifier, Teresa salua Evelyn du bout des lèvres, puis se leva et décida de se jeter à corps perdu dans le travail.

Pendant les trois semaines qui suivirent, elle passa des journées entières devant l'écran de son ordinateur et abrégea toutes ses conversations téléphoniques avec ses sœurs.

Le dernier week-end de novembre, alors qu'elle venait d'achever le onzième chapitre de son livre, la solitude commença à lui peser et elle invita Gloria Patterson, sa voisine, à dîner.

— Il y a longtemps que vous ne m'aviez pas donné de vos nouvelles, ma chère petite, se plaignit la vieille dame en entrant dans la petite cuisine de Teresa.

— C'est vrai, reconnut celle-ci, honteuse de s'être égoïstement isolée du reste du monde. Excusez-moi de vous avoir négligée.

— A vous regarder, on ne dirait pas que vous êtes enceinte. Avez-vous encore des nausées ?

— Non, mais je suis de plus en plus fatiguée et il y a des jours où je me sens déprimée.

— Pourquoi vos sœurs ne vous rendent-elles pas visite ?

— Parce que je leur ai demandé de me laisser tranquille. Elles trouvent toutes les deux que je suis folle de ne pas vouloir me marier avec Jim Schofield, le père de mes enfants.

— De vos enfants ? répéta Gloria après s'être assise à la table que Teresa avait dressée au fond d'une alcôve. Vous allez avoir des jumeaux ?

— Oui. Mon médecin me l'a appris lors de ma dernière consultation. Depuis que je leur ai annoncé la nouvelle, Tommie et Tabitha ont peur que je n'arrive pas à m'en sortir seule et essaient à tour de rôle de me pousser vers l'autel.

— Moi, je suis sûre que si votre ex-petit ami vous aide financièrement, vous vous débrouillerez à merveille.

— Il est hors de question que je réclame le moindre dollar à Jim.

— Ne soyez pas ridicule, Tess ! Que vous acceptiez ou non d'épouser ce jeune homme, il faudra bien qu'il subvienne aux besoins de ses fils.

— J'aurais préféré lui cacher qu'il était le père des bébés, mais il a enquêté derrière mon dos et je n'ai pas eu d'autre choix que de lui dire la vérité, dit Tess en soupirant.

— Qu'éprouvez-vous à son égard ?

— La même chose que l'été dernier, hélas !

Teresa posa une cocotte fumante sur la table et s'assit en face de Gloria.

— Si j'ai refusé ma main à Jim, c'est parce que je suis folle de lui et qu'il ne m'aime pas, confessa-t-elle. Il est allergique au mariage et croit que l'amour avec un grand A est une invention de romanciers.

— Dans ce cas, il vaut mieux que vous n'écoutiez pas vos sœurs et que vous restiez célibataire, lui conseilla sa voisine.

— Vous le pensez sincèrement ?

— Oui. Bien que les enfants aient besoin d'un papa et d'une maman pour s'épanouir, je suis persuadée que vous saurez élever seule votre petite famille.

— Je n'aurai qu'à suivre l'exemple de ma mère, lança Teresa en remplissant leurs assiettes.

— Et à me demander conseil au moindre problème, ajouta Gloria de sa voix chevrotante. Lorsque mon fils aîné me téléphonera au début de la semaine, je lui dirai que vous allez mettre au monde des jumeaux et que je vais devoir jouer les baby-sitters. Comme cela, il comprendra qu'il m'est impossible de déménager.

— Où voudrait-il que vous habitiez ?

— Chez lui, à Dallas. Il trouve que Westside est un quartier dangereux, mais je n'ai pas envie de partir.

— Moi non plus, je n'aimerais pas quitter ma maison.

— L'année prochaine, vous risquez de vous sentir à l'étroit ici. Combien de chambres y a-t-il à l'étage ?

— Deux. Dès que les enfants seront nés, je transformerai l'une d'elles en nursery et mon bureau me servira de table à langer.

— Avez-vous terminé votre livre ?

— Presque. J'ai travaillé d'arrache-pied ces trois dernières semaines et il ne me reste qu'un chapitre à rédiger.

— Vous avez un tel talent que les éditeurs vont se disputer votre manuscrit.

— Vous me flattez, madame Patterson ! se récria Teresa, rouge de confusion.

— Non, je vous assure, la détrompa Gloria en plantant sa fourchette dans un morceau de bœuf braisé. Quand vous m'avez autorisée à lire vos cahiers de brouillon en juillet, j'ai été époustouflée par l'élégance et la fluidité de votre style.

— Ecrire m'aide à oublier mes problèmes et à évacuer mon stress.

— Ce qui est une très bonne chose. Lorsqu'on attend un bébé, il ne faut jamais s'énerver.

— Je le sais. La dernière fois que Jim est venu me rendre visite, nous nous sommes disputés et j'ai eu des nausées toute la matinée.

— Vous devriez expliquer à ce jeune homme qu'il est imprudent de contrarier une femme enceinte.

— S'il s'avise de remettre les pieds à Westside, je vous l'enverrai et vous lui ferez la leçon.

— Comptez sur moi, mon petit. Je lui passerai un tel savon qu'il n'osera plus jamais vous tenir tête.

Teresa imagina Gloria Patterson chapitrant Jim du haut de ses soixante-quinze printemps et éclata de rire.

— Vous ai-je dit que ma mère allait se marier ?

demanda-t-elle dès qu'elle eut recouvré son sérieux. Depuis qu'elle a rencontré Joël Anderson et qu'il lui a demandé sa main, elle rayonne de bonheur.

— Cela vous attriste de ne pas avoir eu la même chance qu'elle ?

— Oui. Je suis contente qu'elle ait trouvé le grand amour, mais il m'arrive de l'envier.

— C'est normal. Vous avez le droit, vous aussi, de voir vos rêves se réaliser.

— Au train où vont les choses, je ne suis pas près d'épouser l'homme idéal.

Teresa chassa le flot d'amertume qui lui serrait la gorge et se leva d'un bond.

— Comme je savais que vous adoriez les biscuits à la cuillère et le fromage blanc, madame Patterson, ajouta-t-elle en sortant de son réfrigérateur le gâteau qu'elle avait confectionné, je vous ai préparé une charlotte aux pêches.

— Oh ! merci, s'exclama la vieille dame. J'aime tellement les boudoirs et les fruits que je serais capable d'en dévorer des tonnes !

— Moi, je dois faire attention à ne pas prendre trop de poids pour respecter les consignes du Dr Benson.

— Sa collaboratrice vous a-t-elle donné quelques leçons de puériculture ?

— Pas encore. Jusqu'à présent, elle ne m'a parlé que des différentes phases de la grossesse et des méthodes de relaxation destinées aux femmes enceintes.

— Si elle vous dit que rien ne vaut les couches jetables, ne la croyez pas. Les langes classiques sont très utiles dans certaines circonstances et peuvent même servir de bavoirs. Lorsque vos enfants seront nés, il faudra que vous les changiez trois ou quatre fois par jour et que vous ayez un stock suffisant de linge propre.

— Trois ou quatre fois par jour ! répéta Teresa en s'écroulant sur sa chaise. Toute seule, je n'y arriverai jamais.

— L'idéal serait que vous engagiez une nounou ou que vous demandiez à vos sœurs de venir vous épauler. Quand vos bébés dormiront, vous serez tellement fatiguée que vous n'aurez pas envie de passer des heures à laver leurs brassières et à réchauffer leurs biberons.

— Ah ! je comprends maintenant pourquoi Tommie et Tabitha tiennent à me caser : elles ont peur que je ne les appelle à la rescousse en pleine nuit.

Pendant que Gloria dégustait sa part de charlotte dans un silence religieux, Teresa émietta du bout de sa cuillère les quelques biscuits imbibés de sirop qui dansaient la farandole au fond de son assiette et se força à avaler un gros morceau de pêche.

— Merci de m'avoir invitée à dîner, lui dit la vieille dame lorsqu'elles se levèrent de table dix minutes plus tard.

— C'est moi qui vous suis reconnaissante d'être venue, madame Patterson. Bavarder avec vous m'a aidée à y voir plus clair.

— Si mes conseils vous ont été d'une quelconque utilité, j'en suis ravie.

— Voulez-vous que je vous raccompagne jusqu'à votre porte ?

— Non, restez là, je vous en prie. Vous devez être exténuée.

Dès qu'elle se retrouva seule, Teresa éteignit le plafonnier de sa cuisine et allait monter se coucher quand un cri aigu la fit sursauter.

Persuadée qu'il était arrivé malheur à Gloria, elle empoigna la batte de base-ball qu'elle laissait toujours dans son vestibule pour pouvoir se défendre en cas de besoin, puis s'élança vers le perron et dégringola les marches au risque de se rompre les os.

7.

Après avoir traversé au pas de course le jardin qui séparait sa maison du cottage de Gloria, Teresa trébucha contre l'une des grosses pierres dont la vieille dame s'était servie pour encercler un parterre de fleurs et s'étala de tout son long sur la pelouse.

— Où êtes-vous, madame Patterson ? demanda-t-elle en essayant vainement de se relever.

— Oh, ma pauvre petite ! s'exclama Gloria. Que vous est-il arrivé ?

— Je vous ai entendue crier et j'ai cru qu'un rôdeur voulait vous agresser. Alors j'ai attrapé ma batte de base-ball et je suis sortie de chez moi comme une folle, mais j'ai oublié qu'il y avait une bordure en galets autour de votre massif de zinnias et j'ai buté dessus.

— Avez-vous mal quelque part ?

— Oui, à la cheville. J'ai dû me la tordre quand je suis tombée.

— Si j'avais su que vous prendriez de tels risques, j'aurais évité de vous alarmer.

— Pourquoi vous êtes-vous mise à hurler ?

— Parce que ma maison a été saccagée. Pendant que nous dînions ensemble, un voleur s'est introduit dans mon salon et a cassé tout ce qu'il n'a pas pu emporter.

— Je suis sûre que c'est le Cambrioleur de Westside qui a fait le coup. Des journalistes ont dit l'autre soir à la radio qu'il avait l'habitude de lacérer les canapés de ses victimes, de briser leurs bibelots et de taguer les murs de leur chambre. En l'espace d'un an, il a dévalisé une trentaine de pavillons au nez et à la barbe du shérif.

Après avoir réussi, non sans peine, à se relever, Teresa traversa la pelouse en clopinant et s'adossa au tronc rugueux d'un gros érable que l'automne avait défeuillé.

— Oh ! vous saignez, s'écria Gloria à la vue de la longue estafilade qui barrait la tempe droite de la jeune femme.

— Ce n'est rien. J'ai dû heurter une pierre et m'égratigner.

— Je vais aller vous chercher des compresses.

— Dépêchez-vous plutôt de téléphoner à la police ! Le dangereux individu qui a pillé votre maison est peut-être encore dans le quartier, et si la police l'arrêtait, tout le monde à Westside serait soulagé.

— A commencer par moi, marmonna la vieille dame avant de se précipiter vers son cottage.

Quand elle réapparut au bout de cinq minutes, une trousse à pharmacie entre les mains, Teresa sentit une violente nausée lui vriller l'estomac et eut l'impression que des milliers d'étoiles dansaient devant ses yeux.

— Que vous arrive-t-il, mon petit ? s'inquiéta Gloria.

— Je… j'ai la tête qui tourne.

— Avez-vous mal au ventre ?

— Non. Je ne suis pas tombée face contre terre, heureusement.

— La police sera bientôt là, mais par mesure de précaution, il vaudrait mieux que j'appelle une ambulance.

— Allez-y, lâcha Teresa en s'asseyant au pied de l'érable. Pendant que vous téléphonez, je vais fermer les yeux et respirer à fond.

Après avoir quitté son bureau, où il venait de passer le week-end à travailler comme un forcené,

Jim s'assit derrière le volant de son 4x4, puis alluma la radio et démarra en souplesse.

« Celui que les autorités du Texas ont surnommé le Cambrioleur de Westside a encore frappé, annonça le présentateur-vedette de sa station favorite. Cette fois, ce serait un petit pavillon de banlieue situé dans Oak Street, à l'ouest de Fort Worth, que l'homme aurait dévalisé. Notre correspondant local n'a pas pu nous donner d'autres précisions, mais restez à l'écoute et nous vous en dirons plus lors de notre prochain flash... »

— Dans Oak Street ! releva Jim, le cœur bloqué. Je savais bien que Westside était un quartier dangereux.

De crainte que le petit pavillon de banlieue dont avait parlé le journaliste ne soit celui de Teresa, il empoigna son portable et essaya de joindre la jeune femme, mais sans résultat.

— Peut-être est-elle allée chez Pete et Tommie, murmura-t-il avant de s'arrêter le long du trottoir et de composer le numéro de son frère.

— Ah ! c'est toi, Jim ? s'étonna sa belle-sœur dès qu'il eut jeté un rapide « bonsoir » dans l'appareil. Tu as une drôle de voix. Que t'arrive-t-il ?

— As-tu écouté les informations ?

— Non. Pourquoi me demandes-tu cela ?

— Parce que l'un des riverains d'Oak Street vient de se faire cambrioler et que le téléphone de Tess sonne dans le vide. Où a-t-elle dîné ?

— Je n'en ai aucune idée. Je ne l'ai appelée que quatre ou cinq fois ces trois dernières semaines, et comme je me suis rendu compte qu'elle n'était pas d'humeur à bavarder, j'ai préféré ne pas l'interroger.

— Au lieu de rentrer directement à Sweet Haven, je vais aller vérifier s'il y a de la lumière chez elle.

— D'accord. Tiens-moi au courant.

Eperonné par l'angoisse, Jim exécuta un demi-tour que n'aurait pas désavoué un pilote de rallye, puis traversa le centre de Fort Worth à la vitesse du son et bifurqua vers Westside.

Lorsqu'il s'engagea dans Oak Street quelques minutes plus tard, deux voitures de police éclairaient de leurs gyrophares le petit cottage chapeauté de tuiles moussues qui jouxtait la maison de Teresa.

— Ouvre, Tess ! hurla Jim après avoir jailli de son 4x4 et frappé en vain à la porte de la jeune femme.

— Vous êtes un ami de Mlle Tyler, monsieur ? questionna l'un des hommes du shérif.

— Oui, acquiesça-t-il d'une voix blanche. Que lui est-il arrivé ?

— Elle a été blessée, mais soyez tranquille, les secours ne vont pas tarder.

— Où est-elle ?

— Là-bas, au pied de ce vieil arbre. Une ambulance viendra bientôt la chercher.

Fou d'inquiétude, Jim se précipita vers le gros érable que lui désignait son interlocuteur et crut que son cœur allait s'arrêter de battre. Assise à même le gazon, les yeux hagards et le front maculé de sang, Teresa paraissait au bord de l'évanouissement.

— Que s'est-il passé, mon ange ? lui demanda-t-il en s'agenouillant à côté d'elle.

— J'ai buté contre une pierre et je suis tombée, dit-elle avec difficulté.

— As-tu mal à la tête ?

— Non.

— Et au ventre ?

— Non plus. Je suis juste sonnée.

— Je vais t'emmener à l'hôpital.

— Ce n'est pas la peine. Mme Patterson, ma voisine, a appelé les secours.

— Il y a combien de temps ?

— Vingt minutes environ.

— Et ils ne sont toujours pas là ?

— Peut-être y a-t-il des embouteillages.

— Penses-tu ! Quand j'ai traversé le centre-ville, il était désert.

De crainte que Teresa ne perde connaissance si aucun médecin ne se décidait à l'examiner, Jim la souleva délicatement dans ses bras, puis l'allongea sur la banquette arrière de son 4x4 et se mit au volant.

— Une seconde, monsieur, s'il vous plaît, lui dit un policier au moment où il allait démarrer. Mon collègue a oublié de vous informer que Mme Patterson conservait un double des clés de Mlle Tyler dans sa cuisine et que le cambrioleur s'en était emparé. Il serait donc plus prudent que votre amie évite de revenir chez elle tant que les serrures n'auront pas été changées. Ce type est un pervers qui prend le même plaisir à voler et à détruire ce qui lui tombe sous la main qu'à frapper ses victimes.

Voyant Teresa fixer d'un air inquiet la vieille dame dont la maison avait été saccagée, Jim sortit une carte de visite de sa boîte à gants et y nota son numéro de téléphone personnel.

— Si vous désirez avoir des nouvelles de Tess, appelez-moi et je vous en donnerai, dit-il à Gloria.

— Merci, jeune homme, rétorqua celle-ci après avoir glissé le morceau de bristol au fond de sa poche. J'aimerais garder le contact avec cette pauvre petite, car ce qui lui est arrivé est ma faute.

— Comment les choses se sont-elles passées ?

— Quand je me suis rendu compte qu'on m'avait dévalisée, je me suis mise à hurler. Croyant que j'étais en danger, Tess a voulu venir me défendre, mais elle a trébuché dans l'obscurité.

— Voici la seule arme que possédait Mlle Tyler ! lança le policier en brandissant une batte de base-ball. Votre amie est quelqu'un de très courageux, ajouta-t-il à l'adresse de Jim.

— Elle ne manque pas de cran, c'est vrai, confirma ce dernier avant de faire rugir le moteur de son 4x4 et de démarrer. Ne t'endors pas, intima-t-il à Teresa lorsqu'il jeta un œil dans son rétroviseur et qu'il la vit cligner des paupières. Tu dois rester éveillée jusqu'à ce qu'un médecin t'examine.

— Im… impossible, bredouilla-t-elle. Je… je suis trop fatiguée.

— Parle-moi des bébés. Les as-tu sentis bouger ce week-end ?

— Non, mais je sais qu'ils vont bien, tous les deux, et qu'ils ne risquent pas de…

Incapable d'achever sa phrase, Teresa se blottit contre le dossier de la banquette et céda au sommeil.

— Heureusement qu'il n'y a pas trop de circulation ce soir ! murmura Jim en enfonçant sa pédale d'accélérateur et en parcourant à tombeau ouvert les quelques centaines de mètres qui le séparaient encore de l'hôpital.

Dès qu'il arriva au service des urgences, il sortit Teresa de son 4x4 avec mille et une précautions et l'assit dans un fauteuil roulant.

— Allez vite chercher un médecin ! lança-t-il à l'une des infirmières chargées d'accueillir les patients. Cette jeune femme est enceinte de cinq mois et elle s'est blessée à la tête.

— Comment s'appelle-t-elle ?

— Teresa Tyler.

— C'est votre épouse ?

— Non. Une amie, simplement.

— Où est son mari ?

— Nulle part. Elle est célibataire.

— Dans ce cas, monsieur, je vous prie de bien vouloir attendre ici pendant qu'on s'occupe d'elle.

— Pourquoi n'ai-je pas le droit de l'accompagner ?

— Parce que vous ne faites pas partie de sa famille.

Furieux de ne pas pouvoir rester avec Teresa, Jim regarda un aide-soignant pousser vers le fond du hall la chaise roulante où elle était recroquevillée, puis s'empressa de téléphoner à Pete et à Tommie.

— Ne t'inquiète pas, lui dit celle-ci lorsqu'elle arriva aux urgences. Je vais aller voir ma sœur et je reviendrai te donner de ses nouvelles.

— Tess souffre-t-elle d'un traumatisme crânien ? demanda Pete à son frère dès que Tommie se fut éloignée.

— Je ne sais pas, grommela Jim. Comme il n'y a aucun lien de parenté entre elle et moi, personne n'a jugé utile de me renseigner.

— Si tu l'avais épousée, tu serais à son chevet à l'heure qu'il est.

— Tu oublies que c'est elle qui a refusé de partager ma vie.

— Elle avait de bonnes raisons pour cela.

— Lesquelles ?

— Ton prosaïsme et ta frilosité. A notre époque, les femmes se marient par amour, pas par obligation. Or, je ne t'ai jamais entendu dire à Tess que tu l'aimais de tout ton cœur.

— Ce soir, en me précipitant à Westside et en l'amenant moi-même à l'hôpital, je lui ai prouvé que je tenais à elle et que…

Voyant Tommie ressortir de la salle où elle s'était engouffrée à la suite d'une infirmière, Jim se tut.

— Comment va Tess ? lui demanda-t-il avec inquiétude.

— Mieux que nous ne le craignions, le rassura-t-elle. L'entaille qu'elle s'est faite à la tempe était tellement profonde qu'il a fallu suturer la plaie, mais une fois que les fils auront été retirés, la cicatrice se remarquera à peine. Ce qui est plus ennuyeux, c'est sa blessure à la cheville. Elle s'est tordu des ligaments en tombant et ne devra pas poser le pied par terre pendant au moins une semaine.

— Quand pourra-t-elle se servir de béquilles ?

— Pas avant quarante-huit heures.

— Elle n'aura qu'à venir habiter à la maison, suggéra Pete. Nous nous occuperons bien d'elle et nous veillerons à ce que…

— Non, c'est moi qui l'hébergerai, coupa Jim d'un ton qui ne souffrait aucune discussion. A Sweet Haven, toutes les chambres sont au rez-de-chaussée, alors que chez vous, elles sont au premier étage. Si Tess est obligée de monter et de descendre l'escalier matin et soir, elle se fatiguera inutilement.

— Tu me promets de la laisser dormir autant qu'elle le voudra et de ne pas l'énerver ? bougonna Tommie.

— Je te le jure, répondit Jim, une main sur le cœur.

Puis, dès que Teresa sortit des urgences dans son fauteuil roulant, il s'élança vers elle et lui effleura les cheveux d'un baiser.

— Comment te sens-tu ? l'interrogea-t-il à voix basse.

— Groggy, murmura-t-elle. J'ai l'impression d'avoir disputé un match de boxe en dix rounds et d'avoir été assommée d'un crochet du droit.

— Qui va s'occuper de Mlle Tyler ? demanda le médecin qui l'avait soignée.

— Moi, déclara Jim. Que devrai-je faire une fois qu'elle aura quitté l'hôpital ?

— La réveiller toutes les trois heures et lui poser des questions afin de vérifier qu'elle ne souffre pas d'une amnésie post-traumatique. Je ne pense pas qu'elle garde la moindre séquelle de sa chute, mais mieux vaut être prudent.

— Pourquoi est-elle aussi fatiguée ?

— Parce que je lui ai administré un sédatif. Demain matin, elle aura les idées plus claires.

— Les bébés sont-ils en bonne santé ?

— Oui. Pendant que j'examinais leur maman, ils n'ont pas arrêté de gigoter.

Soulagé, Jim poussa le fauteuil roulant de Teresa hors du hall d'accueil, puis la prit dans ses bras et l'aida à s'asseoir sur la banquette arrière de son 4x4.

— Je vais aller à Westside avec Tommie et apporter des vêtements de rechange à Tess, lui annonça Pete. Nous serons chez toi d'ici une vingtaine de minutes.

— Entendu, dit-il avant de se mettre au volant et de démarrer.

— Où… où sommes-nous ? balbutia Teresa lorsqu'ils arrivèrent à l'angle de Maple Lane et de Sanderson Road.

— Chez moi, répondit Jim en sautant à terre. Tu te souviens du jour où Tommie t'a fait visiter la maison ?

— Oui. Il y avait une très jolie cuisine et de grandes chambres ensoleillées.

— Comme il est impossible que tu retournes à Westside pour le moment, je vais t'offrir l'hospitalité jusqu'à ce que tu sois rétablie.

— Quand pourrai-je rentrer chez moi ?

— Dès que tu seras capable de marcher sans l'aide de béquilles.

« Et le plus tard sera le mieux », acheva secrètement Jim, qui aurait volontiers séquestré Teresa à Sweet Haven des années durant.

Après avoir soulevé la jeune femme et gravi

les marches du perron, il alla la déposer avec une infinie douceur sur le canapé de son salon.

— En attendant l'arrivée de Pete et de Tommie, qu'aimerais-tu boire ? lui demanda-t-il.

— De l'eau, répondit-elle d'une voix pâteuse. J'ai l'impression d'avoir du coton hydrophile plein la bouche.

— Ce doit être à cause du sédatif qu'on t'a administré à l'hôpital.

Pendant que Jim courait chercher un verre dans sa cuisine, Teresa embrassa d'un regard émerveillé les cloisons rechampies d'ocre pâle du séjour et la grosse cheminée dont la hotte lambrissée s'envolait jusqu'à la poutre maîtresse du plafond.

— Quelle chance tu as d'habiter ici ! s'exclama-t-elle lorsqu'il la rejoignit, un gobelet à la main. Cette maison est superbe.

— Libre à toi de t'y installer définitivement !

— Tu sais très bien que je n'en ai pas envie. Pourquoi ne m'as-tu pas reconduite à Westside ?

— Parce que le cambrioleur a volé le double de tes clés et qu'il va falloir faire changer toutes les serrures.

— Qui t'a dit cela ?

— L'un des policiers qu'a appelés Mme Patterson. Tu ne l'as pas entendu me parler ?

— Si, mais j'étais tellement assommée que je n'ai pas compris un mot de ce qu'il a…

— Salut, vous deux ! coupa Pete en entrant dans le salon à la suite de Tommie. Comme la porte du vestibule était ouverte, nous nous sommes permis d'entrer.

— Qu'y a-t-il là-dedans ? lui demanda Jim à la vue de la grosse boîte enrubannée de rouge que son frère venait de poser sur une table basse.

— Une pizza géante. Sachant que Tess serait incapable de cuisiner ce soir et que tu n'es pas un virtuose du fourneau, j'ai eu peur qu'elle et toi ne mouriez de faim. Alors je me suis arrêté chez un traiteur du centre-ville et je vous ai acheté de quoi tenir le coup jusqu'à demain matin.

— Merci. J'adore les pizzas, déclara Jim.

— Tess en raffole également. Drôle de coïncidence, tu ne trouves pas ?

— Si, acquiesça Jim avec un petit sourire. Je suis heureux d'avoir les mêmes goûts qu'elle.

Les paupières lourdes de sommeil, Teresa prit le gobelet qu'il lui tendait et avala une longue gorgée d'eau.

— Mon corsage est taché de sang, se plaignit-elle. As-tu pensé à m'apporter un chemisier propre, Tommie ?

— Oui, répondit cette dernière, mais vu l'heure qu'il est, il vaudrait mieux que tu enfiles ton pyjama.

— Pourrais-tu m'aider à me lever ? Une fois que je serai debout, je sortirai d'ici à cloche-pied et j'irai me déshabiller de l'autre côté de…

— Tu n'y songes pas ! s'écria Jim en la soulevant délicatement et en allant la déposer sur son lit.

— Cette chambre est la seule que tu aies eu le temps de meubler, remarqua Tommie après l'avoir rejoint. Où dormiras-tu cette nuit ?

— Dans le salon, répondit-il. Le canapé est très confortable.

Puis, laissant les deux jeunes femmes en tête à tête, il regagna le séjour.

— Que vas-tu faire, maintenant ? lui lança Pete, le front barré d'un pli soucieux.

— Téléphoner à un serrurier dès demain matin et lui demander de changer tous les verrous de la maison de Tess. Tu vois une meilleure solution ?

— Oui. Il faudrait que Tess accepte de t'épouser et de s'installer à Sweet Haven.

— Si tu sais comment je pourrais m'y prendre pour la persuader de quitter Westside, n'hésite pas à me le dire. Je t'en serai éternellement reconnaissant !

— Tombe amoureux d'elle et tu n'auras aucun mal à la convaincre de déménager.

— Trouve autre chose, Pete. Je t'ai déjà expliqué que j'avais horreur des grands sentiments et qu'il n'était pas dans ma nature de…

— Tess ne mangera pas de pizza ce soir, l'interrompit Tommie en franchissant le seuil du salon sur la pointe des pieds. Elle s'est endormie dès qu'elle a eu fini de mettre son pyjama et je n'ai même pas eu le temps de lui souhaiter bonne nuit.

— Je m'occuperai bien d'elle, ne t'en fais pas, assura Jim.

— S'il y a le moindre problème, appelle-moi.

— Je n'y manquerai pas.

— Rentrons à la maison, ma chérie, conseilla Pete à Tommie. Il est tard et nous avons tous besoin de nous reposer.

Après avoir pris congé de son frère et de sa belle-sœur, Jim alla chercher un oreiller et une couverture au fond d'un placard, puis s'arrêta devant la porte grande ouverte de sa chambre et admira Teresa. Allongée sur le lit, les mains croisées sur son ventre rond comme si elle voulait protéger ses bébés jusque dans son sommeil, elle ressemblait à ces princesses au visage angélique décrites dans les romans.

— Qu'elle est jolie ! murmura Jim alors que jaillissaient de sa mémoire des souvenirs de draps froissés, de baisers voluptueux et de caresses veloutées.

Puis, sentant son cœur s'affoler dans sa poitrine, il détourna la tête et s'empressa de regagner le salon.

8.

— Comment t'appelles-tu ?

La voix, douce, feutrée, qui répétait sans cesse la même question tira Teresa du sommeil agité où elle avait sombré à son retour de l'hôpital.

— Teresa Tyler, marmonna-t-elle, le cerveau embrumé.

— Quand vas-tu accoucher ?

— Au début du printemps.

— Et que mettras-tu au monde ?

— Des jumeaux.

— Tu veux bien que je leur souhaite une bonne nuit ?

— Oui. A condition que tu arrêtes de parler.

Après s'être allongé à côté d'elle sur le lit, Jim posa ses doigts sur le ventre de Teresa puis, ému de sentir leurs enfants bouger au creux de ses paumes, il ferma ses paupières et s'endormit.

Lorsqu'il se réveilla le lendemain matin, un petit

rayon de soleil effronté caracolait au pied de la fenêtre et maquillait d'or les lattes du plancher.

— Déjà 8 heures ? murmura-t-il en glissant un œil vers le cadran de sa montre.

D'habitude, il se levait à l'aube et partait aussitôt travailler, mais aujourd'hui, il éprouvait un tel plaisir à serrer Teresa tout contre lui qu'il n'avait aucune envie de quitter sa chambre et d'aller rejoindre son associé à l'autre bout de Fort Worth.

« Quand je dirai à Pete que je suis tombé amoureux de Tess comme un adolescent à son premier coup de foudre et qu'il m'a fallu des semaines pour m'en rendre compte, songea-t-il, étonné de son propre aveuglement, il va bien se moquer de moi ! »

— Il est tard ? demanda la jeune femme d'une voix ensommeillée.

— Non, la rassura Jim. Tu peux te rendormir.

Après avoir gagné sa salle de bains à pas de velours et pris une douche, il enfila un jean et un sweat-shirt, puis attrapa son portable et composa le numéro de sa mère.

— Il y a eu un cambriolage dans Oak Street hier soir et, en voulant aider la victime, Tess s'est foulé la cheville, expliqua-t-il à Evelyn.

— Oh, mon Dieu ! s'écria cette dernière. Comment va-t-elle ce matin ?

— Mieux qu'à sa sortie de l'hôpital. Je l'ai conduite au service des urgences peu avant minuit et on lui a donné un sédatif.

— Où se trouve-t-elle maintenant ?

— Ici, à Sweet Haven. Elle y restera jusqu'à ce qu'elle soit capable de marcher.

— Aimerais-tu que je lui tienne compagnie ?

— Oui. Il faut que je fasse changer tous les verrous de sa maison parce que le voleur a dérobé le double de ses clés et qu'il pourrait récidiver. Alors cela m'arrangerait que tu joues les gardes-malades à ma place pendant que je serai avec le serrurier.

— Quand veux-tu que je vienne ?

— Dans une demi-heure.

— Entendu. Je m'habille et j'arrive.

Surpris que sa mère, qui avait horreur d'être bousculée, ait accepté de l'aider sans soulever la moindre objection, Jim glissa son téléphone au fond de sa poche, puis alla préparer le petit déjeuner dans la cuisine.

— Réveille-toi, mon ange, lança-t-il à Teresa en regagnant sa chambre dix minutes plus tard et en s'asseyant au bord du lit, les bras chargés d'un plateau.

— Mmm ! ça sent bon, s'exclama-t-elle. Qu'est-ce que tu m'as apporté ?

— Un bol de chocolat et des toasts à la gelée de groseilles.

— Mon rêve ! Comment as-tu deviné que j'adorais la confiture ?

— Grâce à ma fameuse intuition. J'ai autant de flair que tous les policiers de Fort Worth réunis.

— Et la modestie, tu connais ?

— Pas vraiment, répondit-il en riant.

— Ce n'est pas le seul domaine où tu as de graves lacunes, remarqua Tess avec un sourire. En matière de romantisme et de galanterie, tu mériterais un zéro pointé.

— Ah ! ce que tu peux être mauvaise langue !

— Quand je me réveille le matin, j'ai souvent la dent dure, mais j'espère que cela ne va pas t'empêcher de prendre ton petit déjeuner en ma compagnie ?

— Pour que je renonce à un tel plaisir, il faudrait que je sois fou.

Les yeux rieurs, Teresa cala son oreiller contre la tête de lit et s'y adossa.

— Je... j'avais oublié que tu m'avais amenée à Sweet Haven, balbutia-t-elle après avoir embrassé la chambre de Jim d'un regard étonné.

— Tu ne te souviens pas de ce qui t'est arrivé hier soir ? lui demanda-t-il.

— Si. Je me suis tordu la cheville en voulant

porter secours à ma voisine et tu m'as conduite à l'hôpital. Crois-tu que Mme Patterson soit restée à Westside cette nuit ?

— J'en doute. Avant de quitter le quartier, je l'ai entendue dire à un policier qu'elle avait téléphoné à l'un de ses fils et qu'il allait l'héberger.

— Le type qui l'a dévalisée doit être loin, maintenant.

— Rien ne nous le prouve. Il est possible qu'il rôde encore dans le quartier et qu'il récidive aujourd'hui même. Pour éviter que tu ne sois cambriolée à ton tour, j'ai appelé un serrurier et je lui ai donné rendez-vous chez toi à 9 heures.

— Je vais t'accompagner.

— Pas question ! Tu ne pourras te servir de béquilles qu'à partir de mercredi et il serait imprudent de ne pas faire changer tes verrous dès ce matin.

Voyant Teresa se mordiller les lèvres, indécise, Jim empoigna l'une des tartines qu'il avait posées sur son plateau et la lui offrit.

— Goûte à cette délicieuse gelée de groseilles, Tess, et bois ton chocolat, conseilla-t-il. Tu as besoin de reprendre des forces.

Puis, pendant qu'elle entamait son toast avec un bel appétit, il se leva du lit et ouvrit ses persiennes.

— Tiens ! s'exclama-t-il. Son Altesse Royale

Evelyn Schofield est en train de garer sa somptueuse Lamborghini au pied d'un massif de rhododendrons.

— Qui lui a téléphoné ?

— Moi. Comme je ne voulais pas te laisser seule jusqu'à midi, je lui ai demandé de venir ici.

— La pauvre ! Si elle est obligée de rester à mon chevet toute la matinée, elle va mourir d'ennui.

— Peu importe ! Ce qui compte, c'est que tu te sentes en sécurité et que tu te rétablisses au plus vite.

Jim alla accueillir sa mère en haut du perron et la guida vers sa chambre.

— Bonjour, madame Schofield, lança Teresa après s'être essuyé les lèvres. Vous n'auriez pas dû vous donner la peine de…

— Taratata, l'interrompit gaiement Evelyn. Je suis heureuse que mon fils m'ait appelée à l'aide, car j'adore me rendre utile.

— J'espère que vous ne regretterez pas de vous être déplacée.

— Pourquoi voudriez-vous que je le regrette, ma chère enfant ?

— Parce que je n'aime pas être clouée au lit et que je risque de me montrer insupportable.

— Si tu as besoin d'un changement de décor,

Tess, je vais t'emmener ailleurs, déclara Jim avant de soulever la jeune femme dans ses bras et d'aller la déposer sur le canapé du salon. Le téléviseur que je t'ai offert début novembre est là-bas, ajouta-t-il, un doigt pointé vers l'écran plasma qu'il avait accroché, telle une toile de maître, à l'une des cloisons du séjour. Dès que je serai parti, tu n'auras qu'à l'allumer.

Puis, cédant à une impulsion, il se pencha jusqu'à frôler de son souffle tiède le menton de Teresa et captura avec une extrême délicatesse les lèvres qu'elle ne songeait pas à lui dérober. Chaudes, humides, savoureuses, celles-ci s'entrouvrirent docilement et laissèrent échapper une faible plainte, à peine un murmure, qui résonna aux oreilles de Jim comme un chant d'espoir.

— A midi, mon cœur ! lança-t-il en redressant la tête et en s'éloignant du canapé d'un pas allègre.

« Qu'est-ce qui m'a pris de lui rendre son baiser ? s'admonesta Teresa quand, par l'un des bow-windows du salon, elle vit Jim s'engouffrer dans son 4x4. Si le sédatif qu'on m'a administré hier soir ne m'avait pas troublé les idées, je n'aurais jamais permis à ce goujat de m'embrasser. »

Et, pour faire taire l'agaçante petite voix qui, tout au fond d'elle-même, la traitait de menteuse, elle alluma le splendide téléviseur qu'elle avait eu la sagesse de lui retourner trois semaines et demie plus tôt.

Lorsque Jim arriva devant chez Teresa, un vieil homme coiffé d'une casquette de base-ball sur laquelle était dessinée une grosse clé rouge l'attendait en haut du perron.

— Je suis Ben Williams, le serrurier, annonça-t-il avec un large sourire.

— Bonjour, monsieur Williams, lui dit Jim après avoir gravi les marches deux à deux. Savez-vous ce qui s'est passé ici ?

— Oui. J'ai écouté la radio ce matin et j'ai appris qu'un malfrat avait dévalisé une habitante du quartier.

— C'est la maison d'à côté qu'il a mise à sac, et comme j'ai eu peur qu'il ne récidive, je me suis empressé de vous téléphoner.

— Vous avez bien fait. On n'est jamais trop prudent.

Jim sortit de la poche revolver de son jean le trousseau que lui avait confié Teresa, puis ouvrit en grand la porte du hall et sentit une sueur froide l'inonder. Lacérés de part en part, les coussins du canapé, que la jeune femme avait elle-même brodés, jonchaient les dalles du vestibule et encerclaient un invraisemblable fatras de verres brisés, d'oreillers éventrés et de poupées décapitées.

— On dirait que le Cambrioleur de Westside a été plus prompt que vous, monsieur Schofield, jeta Ben Williams à la vue des têtes en porcelaine qui gisaient au pied de l'escalier.

— Si je tenais ce salaud, bougonna Jim, je lui casserais la figure et je l'enverrais brûler en enfer.

— Voulez-vous que je revienne changer les serrures en début d'après-midi ?

— Oui, merci. Je suis navré de vous avoir dérangé pour rien.

— Ce n'est pas grave. J'ai un autre client à dépanner dans le quartier.

Une fois que Ben Williams eut regagné sa fourgonnette, Jim appela le bureau du shérif, puis composa le numéro de l'agence immobilière où travaillait Tommie.

— La maison de Teresa a été saccagée pendant la nuit, annonça-t-il à sa belle-sœur. Il y a des éclats de verre et des lambeaux de tissu partout dans le hall.

— Tess est-elle au courant ?

— Non. Je l'ai laissée à Sweet Haven en compagnie de ma mère et je ne sais pas s'il faut que je lui apprenne la mauvaise nouvelle dès maintenant ou plus tard. Que dois-je faire, à ton avis ?

— Patienter jusqu'à ce que la famille arrive. Je vais téléphoner à maman, à Joël, à Tabitha et à Pete et nous allons venir t'aider à déblayer le vestibule.

— D'accord. Je vous attends.

A peine Jim avait-il remis son portable dans sa poche qu'un car de police débouchait d'une rue transversale et s'arrêtait sous les fenêtres de Teresa.

— Mlle Tyler a-t-elle une voiture ? lui demanda l'un des hommes du shérif après avoir inspecté la maison de fond en comble.

— Oui, acquiesça-t-il, étonné de cette question. Elle possède un vieux break.

— S'en est-elle servie depuis hier soir ?

— Même si elle l'avait voulu, elle ne l'aurait pas pu à cause de sa cheville foulée.

— J'ai bien peur qu'elle n'ait une mauvaise surprise la prochaine fois qu'elle entrera dans son garage.

— Pourquoi ?

— Parce qu'il est vide.

— Vous voulez dire que le vandale s'est enfui au volant de…

— Tout juste ! Connaissez-vous la marque et le numéro d'immatriculation du véhicule ?

— Non, mais Mlle Tyler va me les communiquer.

Persuadé que Teresa allait se mettre à pleurer quand il lui apprendrait que le cambrioleur avait récidivé, Jim sortit son portable de sa poche, puis pianota sur les touches d'un doigt nerveux et pria sa mère de lui passer la jeune femme.

— Le sale type qui a dévalisé Mme Patterson hier s'est introduit chez toi au cours de la nuit, Tess, lança-t-il sans préambule.

— Il a cassé des objets auxquels je tenais ?

— Je ne sais pas. Les hommes du shérif m'ont défendu d'entrer et je n'ai vu que le vestibule. Où avais-tu laissé ta voiture ?

— A sa place habituelle, au fond du garage.

— Tu en es certaine ?

— Oui. Pourquoi cette question ?

— Parce que… parce qu'il semblerait qu'elle ait été volée. Mais ne te tracasse pas, on aura vite fait de la retrouver. Pourrais-tu me préciser sa marque et le numéro de sa plaque minéralogique ?

La gorge pleine de sanglots, Teresa fournit à Jim les renseignements dont il avait besoin puis, incapable d'articuler un mot de plus, elle raccrocha à l'instant même où tous les membres de sa famille arrivaient en force dans Oak Street.

— L'un de vous est-il venu ici ce week-end ? leur demanda le policier.

— Non, répondit Tommie. Ma sœur a passé ces trois dernières semaines à travailler et Mme Patterson, sa voisine, est la seule personne à lui avoir rendu visite.

— Dès que mes collègues auront fini de relever les empreintes au premier étage, nous les comparerons avec celles de Mlle Tyler pour essayer d'identifier le cambrioleur. Où se trouve-t-elle actuellement ?

— Chez moi, dit Jim. J'habite au 37 bis, Maple Lane.

— Très bien ! Avertissez-la que nous irons l'interroger dans une vingtaine de minutes.

— Je m'en occupe, lança Ann en extirpant un petit téléphone cellulaire de son sac à main.

Lorsque les hommes du shérif eurent terminé leurs investigations et quitté les lieux, Jim, Tommie, Pete, Joël et Tabitha entrèrent dans la maison de Teresa et jetèrent autour d'eux un regard effaré.

— Quel capharnaüm ! se lamenta Tommie.

— Rangeons dans des boîtes ce qui a échappé au massacre et débarrassons-nous du reste, suggéra Jim, une fois revenu de sa stupeur.

— Bonne idée ! approuva aussitôt son frère.

Ton cellier est tellement grand que tu pourras y entreposer les cartons.

— Vu l'ampleur des dégâts, observa Tabitha, nous avons intérêt à ne pas lambiner.

— Comme je m'y connais un peu en bricolage, je vais aller chercher ma trousse à outils dans le coffre de ma voiture et remettre d'aplomb les étagères dont les consoles ont été arrachées, annonça Joël.

Après avoir passé la journée entière à nettoyer toutes les pièces du rez-de-chaussée et aidé Ben Williams à changer les serrures, Jim téléphona à des déménageurs pour leur demander de transporter à Sweet Haven le bureau, le lit, la table de chevet et la coiffeuse de Teresa, puis il chargea un menuisier de réparer les meubles que le cambrioleur avait abîmés.

— Voulez-vous venir dîner à la maison ? demanda-t-il ensuite à Joël et à Ann.

— Non, une autre fois, répliqua cette dernière avec un soupir de lassitude. Je suis tellement fatiguée que je ne tiens plus debout.

— Tess sera déçue de ne pas pouvoir vous remercier du mal que vous vous êtes donné.

— Dites-lui que nous lui rendrons visite demain soir et souhaitez-lui une bonne nuit de notre part.

— Entendu. Je vais immédiatement passer un coup de fil à ma mère et la prier d'avertir Tess.

— Jim a appelé, dit Evelyn à Teresa quelques minutes plus tard.

— Que vous a-t-il raconté ?

— Qu'il allait vous acheter une énorme côte de bœuf avant de rentrer parce que vous aviez besoin de protéines. C'est bien la première fois de sa vie qu'il s'intéresse à la diététique.

— Il doit avoir hâte que je me rétablisse et que je débarrasse le plancher, répondit Teresa en haussant les épaules.

— Vous n'y êtes pas du tout, ma chère petite. Depuis qu'il est propriétaire de Sweet Haven, il rêve que vous veniez y habiter avec lui.

« Vous vous trompez, madame Schofield, riposta mentalement Teresa. Voir grandir les jumeaux dans la superbe maison qu'il s'est offerte est la seule chose qui lui tienne à cœur. »

— Quel dommage que la villa de Pete et de Tommie ne soit pas de plain-pied et qu'il n'y ait pas de place pour moi chez Tabitha, car je ne serais pas restée une minute de plus ici, maugréa-t-elle pendant qu'Evelyn sortait un gril électrique de l'un des placards de la cuisine.

— Bonsoir, belles dames ! s'écria Jim en entrant dans le salon à la tombée du jour. Si vous avez faim, vous allez vous régaler.

— Pardon de ne pas pouvoir rester, les enfants, déclara sa mère, mais je suis attendue à mon club de bridge.

— Merci de m'avoir remonté le moral, lui dit Teresa. Sans vous, je me serais terriblement ennuyée.

— La prochaine fois que vous aurez besoin de compagnie, n'hésitez pas à m'appeler et je viendrai vous distraire, répliqua Evelyn avant d'attraper son sac à main et de s'éclipser.

— Puisque personne ne veut partager notre repas, fit remarquer Jim à Teresa, nous n'avons pas d'autre choix que de dîner en tête à tête.

« Comme il y a cinq mois », pensa-t-elle alors, le cœur battant fort dans sa poitrine.

9.

— Tu devrais demander à ma mère de venir dîner à Sweet Haven, suggéra Teresa, prise de panique à l'idée de se retrouver seule avec Jim.

— Je l'ai déjà fait, répliqua-t-il, mais elle a refusé mon invitation. Après la dure journée qu'elle a passée, elle était épuisée.

— Qui d'autre qu'elle t'a rejoint dans Oak Street ?

— Pete, Tommie, Tabitha et Joël.

— S'il a fallu que tu appelles à l'aide ma famille au grand complet, les dégâts sont sans doute plus importants que tu n'as bien voulu me le dire.

— Le cambrioleur n'y est pas allé de main morte, effectivement, avoua Jim. En dehors de ton lit, de ta table de chevet, de ta coiffeuse et de ton bureau, il a abîmé tous tes meubles. Il a également éventré les coussins de ton canapé, brisé ta vaisselle et décapité tes poupées de collection.

— Pourquoi ne m'en as-tu pas parlé au téléphone ? lui demanda Teresa, bouleversée par ces nouvelles.

— Pour te ménager, répondit-il en lui prenant la main.

— As-tu eu l'occasion de discuter avec ma mère pendant que tu étais à Westside ?

— Oui. Je lui ai raconté ce qui t'était arrivé hier soir et je lui ai expliqué que tu devrais rester à Sweet Haven jusqu'au début de la semaine prochaine.

— Que t'a-t-elle répondu ?

— Qu'elle aurait préféré t'accueillir chez elle, mais qu'il était normal que je t'aie offert l'hospitalité puisque c'était à mes enfants que tu donnerais bientôt le jour.

— Ce ne sont pas *tes* enfants que je porte, ce sont *les nôtres*, rectifia Teresa, les yeux voilés de larmes. A t'écouter, on croirait que tu les as conçus tout seul et qu'ils t'appartiennent.

— Désolé, lança Jim en s'asseyant à côté d'elle et en lui entourant les épaules d'un bras amical. Je n'ai pas voulu te blesser.

— Que tu l'aies voulu ou non, le résultat est le même : à cause de toi et de cet ignoble vandale qui a saccagé mes meubles, je suis complètement déboussolée.

— Ne t'inquiète pas, mon ange. Après une bonne nuit de sommeil, tu te sentiras mieux.

— Ça m'étonnerait. Je suis tellement fatiguée que je n'arriverai jamais à remettre ma maison en état avant la naissance des bébés.

— Tu n'auras aucun effort à fournir. J'ai demandé à un menuisier de venir réparer ce qui pouvait l'être, et dès demain matin, je téléphonerai au peintre que ma mère a embauché l'an dernier.

— Il est inutile que tu le déranges. Je n'aurai pas les moyens de le payer.

— S'il suffit que je règle sa facture à ta place pour que tu retrouves le sourire, ce sera avec joie que je sortirai mon carnet de chèques.

De crainte que Teresa ne refuse son offre par simple fierté et ne lui reproche de vouloir lui faire la charité, Jim se leva du canapé et gagna sa cuisine à longues enjambées.

— Tu as une famille formidable, tu sais, lança-t-il à la jeune femme en posant sur le plan de travail la viande et les légumes qu'il avait achetés dans des boutiques du centre-ville. Dès que j'ai dit à Tommie que tu avais été cambriolée, elle a appelé les autres à la rescousse et aucun d'eux ne s'est défilé.

— Ta famille à toi n'est pas mal non plus. Sans ta mère, je me serais ennuyée à mourir aujourd'hui.

— Avant le mariage de Pete et de Tommie, elle ne s'intéressait qu'à son club de bridge et il ne lui serait pas venu à l'esprit d'aider qui que ce soit. Mais depuis l'été dernier, elle a changé.

— Peut-être vivait-elle en égoïste parce que la solitude lui pesait et qu'elle n'avait personne à qui se confier ? Quand on a des problèmes, il n'est pas facile de trouver une oreille compatissante.

— Lorsque nous serons mariés — car je suis persuadé que tu accepteras tôt ou tard de m'épouser —, je serai toujours à ton écoute, je te le promets.

Teresa tourna la tête vers le passe-plat et répondit par un sourire au clin d'œil espiègle que lui décochait Jim.

— Même si tu ne respectes pas ton serment, riposta-t-elle, je suis sûre que tu seras le meilleur des papas et que tu sauras mieux comprendre les jumeaux que moi.

— Vu l'expérience que tu as acquise ces dernières années, ce n'est pas certain.

— Les institutrices ne sont pas forcément plus douées pour élever leurs propres enfants que les experts-comptables.

— Attendons que les bébés soient nés et nous en reparlerons.

Après avoir dressé le couvert, Jim fit cuire la

viande et les légumes qu'il avait achetés, puis vint chercher Teresa dans le salon et l'emmena dans la cuisine.

— Jamais je n'arriverai à manger tout cela, s'exclama-t-elle pendant qu'il l'aidait à s'attabler. Tu veux que je meure d'une indigestion ?

— Si nous avons du mal à vider nos assiettes, nous n'aurons qu'à garder les restes, répliqua-t-il après s'être installé en face d'elle. J'adore les sandwichs au bœuf et à la moutarde.

— Moi, j'en raffole.

— C'est bizarre que nous aimions les mêmes choses, tu ne trouves pas ?

— Non. Je ne connais personne au Texas qui déteste les grillades.

— Il y a un autre point commun entre nous : notre faible pour les pizzas.

— Tu parles d'une coïncidence ! Nous ne devons pas être les seuls habitants de Fort Worth à en manger.

— Si nous comparions tes goûts et les miens dans différents domaines, tu aurais des surprises.

— Essayons et nous verrons bien.

— Quelle est ta couleur favorite ?

— Le bleu ciel. Les trois quarts de mes jupes et de mes chemisiers sont dans les tons pastel.

— Moi, j'adore les jeans délavés et les blousons en denim.

— Que préfères-tu ? Le foot ou le base-ball ?

— Le base-ball. Je suis un fan des Rangers.

— C'est également l'équipe que j'ai supportée tout au long du championnat, mais cela ne prouve pas grand-chose.

— Je ne suis pas de ton avis. Plus il y a de similitudes entre un homme et une femme, mieux ils s'entendront une fois mariés.

— On dit aussi que les contraires s'attirent, remarqua Tess.

— Et tu crois à cette belle théorie ?

— Oui.

— Tu as tort. Le meilleur moyen d'être heureux en ménage est d'épouser son alter ego.

L'air sceptique, Teresa goûta à la viande grillée, aux petits pois et à la salade de pommes de terre que venait de lui servir Jim puis, de peur qu'il ne lui reproche d'avoir un appétit d'oiseau, elle s'obligea à vider son assiette.

— Où veux-tu que je t'emmène ? lui demanda-t-il à la fin du repas. Dans la salle de bains ou dans ma chambre ?

— Dans la salle de bains, décréta-t-elle. J'aimerais prendre une douche.

— A moins que tu ne m'autorises à tenir le pommeau, tu ne pourras pas te débrouiller seule.

— Comment vais-je faire pour me laver les cheveux ?

— Je n'en ai encore aucune idée, mais j'y réfléchirai demain et j'essaierai de trouver une solution avant l'arrivée de nos hôtes.

— Qui as-tu invité ?

— Ta mère, Joël, Pete, Tommie et Tabitha. Ils se sont donné tellement de mal aujourd'hui que j'ai eu envie de les remercier en leur offrant un bon dîner.

— Le problème, c'est que je suis incapable de cuisiner avec ma cheville foulée.

— Aucune importance ! Je téléphonerai à un traiteur et je lui demanderai de s'occuper de tout à notre place.

— Cela risque de te coûter une fortune.

— Et alors ? L'essentiel est que tu sois heureuse et que tes proches le soient également.

— Quelle générosité ! Moi qui croyais que tu n'avais aucune qualité, je n'en reviens pas.

— Si tu me connaissais mieux, tu verrais que je suis un saint.

— Oh ! il ne faut pas exagérer. Ton ego surdimensionné ne te permettra jamais d'être canonisé.

Après s'être levé de table, les yeux pétillant de malice, Jim passa un bras autour des épaules de Teresa, puis glissa une main sous ses genoux et l'emmena dans la salle de bains.

— Pourquoi a-t-il fait preuve ce soir d'une telle gentillesse ? murmura-t-elle dès qu'il se fut éloigné. Parce qu'il m'aime autant que je l'aime et qu'il ne sait pas comment me l'avouer ? Non ! Tout ce que je lui inspire, c'est de la pitié. Parce qu'il veut me déstabiliser et me montrer que j'ai eu tort de refuser sa demande en mariage ? Probablement…

Bien décidée à ne pas se laisser ensorceler et à rester sur la défensive jusqu'à la fin de son séjour à Sweet Haven, Teresa ouvrit à fond le robinet et s'aspergea d'eau glacée.

— Qu'est-ce que tu fabriques, Tess ? s'inquiéta Jim au bout de dix minutes.

— Je… je réfléchissais, bredouilla-t-elle avant d'abaisser la poignée du mitigeur et de quitter la salle de bains à cloche-pied.

— A quoi ?

— A la manière dont j'allais m'y prendre pour me laver les cheveux.

— Inutile de te creuser les méninges ! Je t'ai déjà dit que je trouverais une solution.

— Iras-tu travailler demain ?

— Non. J'ai prévenu mon associé que je serais absent.

Voyant Teresa sautiller en direction du lit, Jim la souleva de terre comme si elle n'avait pas pesé plus lourd qu'un fétu de paille et la déposa sur la courtepointe.

— Seras-tu capable de te déshabiller toute seule ? lui demanda-t-il.

— Oui, acquiesça-t-elle. Je n'ai pas besoin de ton aide, merci.

— Dans ce cas, endors-toi vite, mon amour, et fais de beaux rêves.

« Mon amour… » Les mots, lancés d'un ton velouté, atteignirent Teresa droit au cœur et lui rappelèrent cette longue nuit d'été où, pour la première fois de sa vie, elle s'était enivrée de volupté jusqu'à en perdre la raison.

— Si je ne veux pas me laisser piéger encore une fois, j'ai intérêt à garder la tête froide, maugréa-t-elle avant d'enfiler son pyjama et de se glisser entre les draps.

Dès qu'il se réveilla, le lendemain matin, Jim saisit son portable et appela sa mère.

— Pourrais-tu m'indiquer les coordonnées des

traiteurs auxquels tu t'adresses les jours où Maria est en congé ? questionna-t-il.

— Avec plaisir, répondit Evelyn. Quand auras-tu besoin d'eux ?

— Ce soir. J'ai invité Ann, Joël, Tommie, Pete et Tabitha à dîner.

— Aucun des spécialistes que je connais n'acceptera de t'aider dans un laps de temps aussi court, mon chéri.

— Que dois-je faire, alors ?

— Acheter un livre de recettes et te mettre aux fourneaux. Ton frère, qui ne savait même pas se servir d'une casserole avant son mariage, a appris à cuisiner et il n'en est pas mort.

La mine assombrie, Jim raccrocha, puis traversa le vestibule à pas feutrés et entrebâilla la porte de sa chambre.

— Je suis réveillée, lui dit Teresa en se redressant sur un coude. Quelque chose ne va pas ?

— Oui, avoua-t-il. Comment l'as-tu deviné ?

— Oh ! je n'ai pas eu besoin de m'acheter une boule de cristal. Il m'a suffi de te regarder et je me suis tout de suite rendu compte que tu avais un problème. A qui viens-tu de parler ?

— A Sa Majesté Evelyn Schofield. Je lui ai demandé de m'aider à trouver un traiteur pour ce soir, mais elle m'a répondu qu'aucun de ceux qu'elle connaissait n'accepterait d'organiser un repas dans un délai aussi bref.

— Si tu veux que je te tire du guêpier où tu t'es fourré en invitant ma famille à dîner, allons déjeuner. Je meurs de faim.

Impatient de savoir quel genre de coup de main Teresa comptait lui donner, Jim l'aida à se lever et à enfiler sa robe de chambre, puis l'emmena dans la cuisine et lui offrit un bol de porridge.

— C'est ma mère qui m'a acheté ces flocons d'avoine, expliqua-t-il. Elle s'imagine que, sans elle, je me laisserais dépérir.

— Et elle se trompe ?

— Du tout au tout. Bien que je n'aie aucun talent de cordon-bleu, je suis capable de me servir d'un barbecue et de réchauffer des plats préparés au micro-ondes.

— Bravo ! Avec un peu d'entraînement, tu ne devrais pas tarder à dépasser Pete.

— Si je ne tiens pas à ce que Tommie, Tabitha et lui m'accusent de vouloir les intoxiquer, il va falloir que je suive des cours accélérés.

— Sais-tu comment je pourrais me laver la tête avant leur arrivée ?

— Tu n'auras qu'à t'allonger sur le meuble dans

lequel est encastrée la vasque de la salle de bains et je m'occuperai du reste.

— Tu as été coiffeur autrefois ?

— Non, mais je trouve tes cheveux tellement jolis que j'ai hâte d'apprendre les ficelles du métier.

« En juin, c'est moi qui avais dénoué ses tresses après l'avoir embrassée à en perdre le souffle », se rappela Jim une heure plus tard, lorsque Teresa défit lentement ses nattes et qu'il vit une somptueuse toison d'or cascader jusqu'au creux de ses reins.

— Pose ta nuque au bord du lavabo, lui dit-il en attrapant la douchette qu'il avait reliée au robinet à l'aide d'un flexible.

— Aïe ! c'est chaud, s'écria-t-elle.

— Pardon, je… j'avais la tête dans les nuages et je… j'ai oublié de vérifier la température de l'eau, balbutia Jim, irrité de trébucher ainsi sur les mots.

— A quoi pensais-tu ?

— A la grave erreur que j'ai commise le jour où j'ai décidé de devenir expert-comptable. Au lieu d'apprendre à jongler avec les chiffres, j'aurais dû étudier la coiffure.

— Quel dommage que tu aies raté ta vocation !

— A qui le dis-tu !

Jim versa un peu de shampooing au creux de sa paume et plongea ses mains dans l'épaisse chevelure de Teresa.

— Tu n'as pas encore fini ? s'étonna-t-elle au bout de cinq minutes.

— Si, murmura-t-il en rinçant les longues mèches dorées qu'il sentait onduler sous ses doigts. Tu peux t'asseoir, j'ai terminé.

La nuque endolorie, Teresa se redressa et enroula une serviette-éponge autour de sa tête.

— Emmène-moi dans le salon, demanda-t-elle à Jim. Nous n'avons pas une minute à perdre.

— A vos ordres, Majesté ! se moqua-t-il avant de lui encercler la taille et d'aller la déposer sur le velours du canapé. Pourquoi étais-tu impatiente de quitter la salle de bains ?

— Parce que nous avons plein de choses à faire et que le temps presse. Si nous voulons recevoir dignement ma famille, il faut que nous nous dépêchions de préparer le menu.

— Le mieux serait que j'achète des côtes de bœuf comme hier soir et que je ressorte mon gril.

— Ah non ! Je n'ai pas envie de manger deux fois de suite la même chose.

— Que comptes-tu offrir à nos invités ?

— Une salade de cresson aux noix et des lasagnes à la bolognaise.

— Qui confectionnera ces merveilles ?

— Toi et moi. Je me chargerai des pâtes pendant que tu t'occuperas de la vinaigrette.

— Et pour le dessert, qu'as-tu prévu ?

— Un gâteau au fromage blanc.

— Au cas où tu aurais oublié ce « détail », je te rappelle que la cuisine n'est pas mon fort.

— Ne t'en fais pas, je te guiderai.

Teresa extirpa un peigne de sa poche, puis déroula la serviette qu'elle avait entortillée autour de sa tête et démêla ses cheveux.

— As-tu des plats à gratin ? demanda-t-elle à Jim après un long silence.

— Non, répondit-il.

— Et une jolie jatte en terre cuite ?

— Non plus.

— Qu'y a-t-il dans tes placards ?

— Le strict minimum. Comme je ne suis pas un fin cordon-bleu, je n'ai pas jugé nécessaire de m'équiper.

— Quand tu invites des amis à dîner, quel genre de vaisselle utilises-tu ?

— Des assiettes et des verres dépareillés, répondit-il en haussant les épaules.

— J'aurais dû m'en douter. Les célibataires endurcis tels que toi ne savent pas recevoir.

— Il n'est jamais trop tard pour apprendre. Dis-moi ce qu'il te faut et je vais aller courir les magasins.

— A quoi bon ? Je n'ai pas envie que tu te ruines par ma faute.

— Même si j'étais au bord de la faillite — ce qui n'est pas le cas, sois tranquille —, je mettrais un point d'honneur à suivre tes conseils et à accueillir ta famille dans les règles.

Jim sortit un agenda et un stylo de sa poche, puis les tendit à Teresa.

— Dresse la liste des objets qui me manquent, et j'irai les acheter.

— Comme tu voudras, répliqua-t-elle avant de pencher la tête et de noircir les deux premières pages du calepin.

— N'oublie pas de noter les ingrédients dont nous aurons besoin pour préparer le dîner.

— C'est déjà fait.

« De toutes les femmes que je connais, elle est de loin la plus belle », songea Jim quand il vit un rayon de soleil transpercer les carreaux d'un bow-window et cribler de flèches lumineuses les longs cheveux dorés de Teresa.

— Veux-tu que je demande à ma mère de venir s'occuper de toi pendant que je serai en ville ? questionna-t-il après avoir remis son agenda dans sa poche.

— Non, ne la dérange pas. Je vais regarder la télévision jusqu'à ton retour.

— Pas mal ! s'exclama Jim le soir même en contemplant la table qu'il avait dressée au milieu de son salon. La vendeuse qui m'a conseillé d'acheter des assiettes bleu ciel et une nappe indigo ne s'est pas trompée : le résultat est époustouflant.

— Et que dire de ta salade de cresson aux cerneaux de noix ? rétorqua Teresa. Un pur chef-d'œuvre !

— A en croire Pete et Tommie, préparer un repas est la pire des corvées, mais j'ai trouvé cela très facile.

— Evidemment ! Je t'ai expliqué ce que tu devais faire.

— Il est vrai que tu m'as aidé à doser l'huile et le vinaigre et que...

Un coup de sonnette, suivi de trois autres en rafale, interrompit la riposte.

— Qui est-ce ? lança Teresa à Jim.

— Les déménageurs auxquels j'ai téléphoné hier, l'informa-t-il après avoir jeté un œil par la fenêtre.

Je leur ai demandé d'aller chercher tes meubles et de les apporter ici pour que je ne sois pas obligé de dormir sur le canapé jusqu'à ton départ. Les accotoirs ont beau être capitonnés, je serai plus à l'aise dans mon lit.

En entendant le mot « départ », Teresa sentit des larmes lui monter aux yeux.

— Idiote ! s'admonesta-t-elle tout bas dès que Jim eut quitté la pièce. Au lieu de jouer les maîtresses de maison, tu aurais dû te rappeler que tu n'étais pas chez toi à Sweet Haven.

10.

Lorsque Jim revint dans le salon une demi-heure plus tard et qu'il croisa le regard de Teresa, il devina immédiatement que la belle humeur dont elle avait fait preuve tout au long de l'après-midi s'était envolée.

— Tout va bien ? questionna-t-il.

— Très bien, prétendit-elle en baissant la tête pour masquer ses yeux noyés de larmes. Les déménageurs sont déjà repartis ?

— Oui. Je leur ai demandé d'installer ton lit, ta coiffeuse et ta table de chevet dans l'une des chambres encore inoccupées de la maison.

— Et mon bureau, où l'as-tu entreposé ?

— Au fond de mon cellier, avec la vingtaine de grosses boîtes en carton que ta famille et moi avons remplies hier.

— Si le cambrioleur ne m'avait pas volé ma vieille guimbarde et que tu avais été obligé de la laisser dans ton garage jusqu'à ce que je sois rétablie, tu aurais fini par me reprocher d'être trop encombrante.

« Est-ce le vol de sa voiture qui l'attriste ? s'interrogea Jim quand il vit Teresa essuyer ses cils du plat de la main. Peut-être se sent-elle prisonnière à Sweet Haven et a-t-elle besoin d'évasion… »

— Ne te tracasse pas, lui dit-il. Les policiers retrouveront certainement bientôt ton break.

— Espérons-le, lâcha-t-elle d'un ton morne.

— Cela te plairait que je t'emmène faire un tour en 4x4 cette semaine ?

— Non, merci. Je préfère rester à la maison.

— Si tu es fatiguée de regarder la télévision à longueur de journée et que tu as envie d'écrire, je peux installer ton bureau et ton ordinateur dans l'une des pièces du rez-de-chaussée.

— Très bonne idée ! dit-elle avec un sourire. J'ai hâte de terminer mon livre.

— En attendant que ta famille arrive, je vais finir de tout mettre en place.

— J'aurais bien voulu t'aider, mais je n'en ai pas le courage.

— Vu le mal que tu t'es donné cet après-midi pour préparer tes lasagnes à la bolognaise et pour m'enseigner le B.A.-BA du métier de cuisinier, il n'est pas étonnant que tu sois exténuée.

— Puisque ma mère et les autres ne seront pas là avant 19 heures, j'aimerais faire mon lit et me reposer. Où as-tu rangé mes draps ?

— Comme le vandale les avait lacérés, je n'ai pas jugé utile de te les apporter.

— Ce n'est pas grave. Tommie m'en prêtera une paire.

Pendant que Teresa décrochait le téléphone et appelait sa sœur, Jim regagna la chambre qu'il lui avait réservée et ouvrit une à une les quatre grosses valises que les déménageurs avaient empilées au pied de la coiffeuse.

— Qu'est-ce que tu fabriques ? lui demanda la jeune femme en sautillant vers lui quelques minutes plus tard et en le voyant plonger la tête dans un placard.

— Je mets tes vêtements sur des cintres pour éviter qu'ils ne se froissent, répondit-il. Pourquoi t'es-tu déplacée jusqu'ici au lieu de rester assise et d'attendre que je vienne te chercher ?

— Parce que j'étais impatiente d'admirer mon nouveau cadre de vie. Cette pièce est magnifique !

— La première fois que j'y suis entré, j'ai été

emballé, moi aussi. La moquette ressemble à un tapis de haute laine, et de ce bow-window, on aperçoit le kiosque que les anciens propriétaires ont fait bâtir au fond du jardin.

Teresa voulut s'approcher de la fenêtre que lui désignait Jim, mais elle heurta sa table de chevet et perdit l'équilibre.

— Tu ne devrais pas essayer de marcher, grommela-t-il en la rattrapant par le poignet. Si tu continues à sautiller ainsi, tu risques de tomber à la renverse et de te briser la nuque.

— Dès que les médecins de l'hôpital m'auront donné des béquilles, je ne courrai plus le moindre danger.

— D'ici là, tâche d'être prudente.

— Je te le promets.

Teresa regarda les valises que Jim avait éparpillées de chaque côté du lit et rougit jusqu'à la racine des cheveux.

— Je… je te remercie d'avoir suspendu mes robes, mes vestes et mes chemisiers à des cintres, bredouilla-t-elle, mais j'aimerais mieux que tu me laisses ranger le reste.

— Pourquoi ? s'étonna-t-il.

— Parce qu'il s'agit de… d'objets personnels.

Jim effleura des yeux les sous-vêtements en

dentelle qu'il n'avait pas encore eu le temps de déplier et toussota, gêné.

— Je viendrai te chercher à 18 h 45, marmonna-t-il. En attendant, repose-toi bien.

Après avoir somnolé sur la toile rugueuse de son matelas, Teresa troqua son jean et son T-shirt contre un pantalon en jersey rouge et un pull-over assorti. Elle noua ensuite ses cheveux en une épaisse queue-de-cheval et aviva ses lèvres d'une touche de carmin.

— Encore quinze minutes à patienter ! s'exclama-t-elle quand elle entendit sonner la grosse comtoise qui, de son tic-tac monotone, égrenait les secondes à l'entrée du vestibule.

Alors, oubliant la promesse qu'elle avait faite à Jim, elle quitta sa chambre en boitillant, puis ouvrit au hasard l'une des nombreuses portes dont les panneaux moulurés s'alignaient le long du couloir et sentit son cœur manquer un battement.

A droite et à gauche de la fenêtre, là où devaient virevolter chaque matin les premiers rayons du soleil, se dressaient deux berceaux enjuponnés de valencienne azurée au-dessus desquels oscillaient des lanternes musicales.

Une fois remise de sa stupéfaction, Teresa clopina

jusqu'à la ravissante commode laquée de bleu ciel qui occupait tout un angle de la pièce et balaya d'un regard ébloui les grenouillères soigneusement pliées au fond des tiroirs.

— Pourquoi pleures-tu, Tess ? lui demanda Jim en s'approchant d'elle à pas de loup et en la voyant essuyer ses paupières humides.

— Parce que je suis émue, répondit-elle. C'est toi qui as aménagé cette nursery ?

— Oui, avec l'aide de ma mère. J'espère que tu m'autoriseras à y accueillir les jumeaux le week-end. Puisque tu refuses de devenir ma femme et de leur offrir une vraie vie de famille, je m'efforcerai d'être le meilleur des papas.

La gorge nouée, incapable d'analyser les sentiments confus qui l'étreignaient, Teresa lâcha dans un murmure étranglé :

— Tu ne t'occuperas pas d'eux que le samedi et le dimanche, Jim, car j'accepte de t'épouser.

— Tu es sérieuse ? demanda-t-il, incrédule.

— On ne peut plus sérieuse. Je me plais beaucoup à Sweet Haven et j'aimerais y voir grandir nos enfants.

— Quand voudrais-tu que la cérémonie ait lieu ?

— Je ne sais pas. Je n'ai pas encore eu le temps de réfléchir à la question.

— Nous n'aurons qu'à demander l'avis de Tommie et de Tabitha pendant le dîner.

— Je ne suis pas sûre que… qu'il soit très judicieux de leur annoncer la nouvelle dès maintenant.

— Pourquoi attendre ? Ta famille et la mienne ont le droit de connaître nos projets.

— Avant de nous marier, il faudrait que nous nous fiancions.

— Nous allons le faire aujourd'hui même, en présence de toutes les personnes auxquelles nous tenons.

Le cœur battant, Jim souleva Teresa de terre et la serra dans ses bras.

— Je vais inviter ma mère à venir partager notre joie, lui glissa-t-il à l'oreille. Et cette soirée sera la plus belle qu'on ait jamais passée.

« Ou bien la pire qu'on puisse imaginer », songea-t-elle, vexée qu'il n'ait pas eu envie de lui donner un baiser.

— Merci de nous avoir offert un aussi bon repas, ma chère enfant, lança Evelyn à la fin du dîner. Votre salade de cresson aux noix était un régal.

— Ce n'est pas moi que vous devriez féliciter,

madame Schofield, c'est votre fils, précisa Teresa. Il s'est débrouillé comme un chef.

— Oh ! n'exagérons pas, protesta Jim. Tout seul, j'aurais été incapable de préparer la vinaigrette.

Et, se levant de son siège, il enchaîna d'un ton emphatique :

— J'ai une grande nouvelle à vous annoncer. Tess a accepté de m'épouser.

— Génial ! s'écrièrent en chœur Tommie et Tabitha.

— Quelle merveilleuse surprise ! jetèrent à leur tour Ann et Joël.

— Où aura lieu la cérémonie ? interrogea Evelyn, le regard étincelant de joie.

— Ici même, lui répondit Jim. Puisque tu connais mieux que quiconque les différents traiteurs de la région, tu n'auras qu'à organiser le banquet.

— Il faudra également que je demande à un fleuriste de livrer des gerbes de roses à Sweet Haven la veille du mariage, dit Evelyn en réfléchissant à haute voix.

— Et que tu aides Tess à choisir sa robe, ajouta Jim. Comme tu es habituée à courir les magasins, tu seras pour elle le meilleur des guides, mais ne l'emmène pas faire du lèche-vitrine à l'autre bout du Texas, car j'ai hâte de l'épouser.

— Si je me mets au travail dès demain matin, tu n'auras pas besoin de patienter très longtemps, mon chéri : onze ou douze jours me suffiront.

« Seigneur ! pensa Teresa, qui se sentait curieusement étrangère à l'euphorie ambiante. Je vais être prise dans un tel tourbillon jusqu'à la mi-décembre que je n'aurai plus une seconde de répit. »

— Puisque tout est réglé, allons-nous-en, suggéra Ann aux autres invités. Tess a l'air fatiguée et je ne voudrais pas qu'elle soit obligée de veiller à cause de nous.

— Tu as raison, maman, déclara Tabitha en se levant. Il vaut mieux que nous partions et que nous la laissions se reposer.

Quand il se retrouva seul avec Teresa, Jim l'emmena dans sa chambre et l'aida à s'allonger sur la jolie couverture en laine angora que Tommie lui avait apportée.

— Tu ne regrettes pas ta décision, j'espère ? lui demanda-t-il d'un ton inquiet.

— Absolument pas, se força-t-elle à répondre. Si je suis moins enthousiaste que je ne devrais l'être, c'est parce que je tombe de sommeil.

— Dépêche-toi de fermer les yeux, alors, et passe une bonne nuit.

— Iras-tu travailler demain matin ?

— Oui. Mon associé m'a téléphoné au début de la soirée pour me supplier de venir au bureau.

« Excellente nouvelle ! s'abstint de riposter Teresa. Grâce à lui, je pourrai enfin respirer... et essayer de me convaincre que j'ai bien fait de me lancer dans le mariage, tête baissée. »

— Je n'arrive pas à croire que Tess ait accepté de m'épouser, murmura Jim après avoir regagné sa chambre.

Quand elle lui avait dit qu'elle se plaisait à Sweet Haven et qu'elle voulait y élever leurs enfants, il avait failli lui avouer qu'il l'aimait comme un fou, mais de crainte d'avoir l'air ridicule, il avait ravalé les mots qui se bousculaient dans sa tête.

« Espérons qu'elle comprendra d'elle-même ce que j'éprouve, car je me vois mal lui parler d'amour », pensa-t-il avant de se jeter tout habillé sur le lit où Teresa avait dormi la nuit précédente et de humer avec délices le subtil parfum de chèvrefeuille qu'exhalait l'oreiller.

— Tu veux que je t'aide à préparer le petit déjeuner ? demanda Teresa à Jim lorsqu'elle le rejoignit dans la cuisine le lendemain matin.

— Qu'est-ce que tu fais debout ? grommela-t-il en la regardant s'agripper à la table. Tu m'avais promis d'être prudente.

— Pardon. Mais dès que je me suis réveillée, j'ai senti une odeur de chocolat et j'ai eu envie de me lever.

— Quand dois-tu aller chercher tes béquilles ?

— Ce matin.

— Je vais annuler tous mes rendez-vous et t'accompagner.

— C'est inutile. Pendant le repas d'hier soir, ta mère m'a dit qu'elle m'emmènerait à l'hôpital. Une fois que les médecins m'auront autorisée à marcher, nous irons en ville, elle et moi.

— Pour choisir ta robe de mariée ?

— Entre autres.

Comme s'il craignait de s'attarder sur le sujet, Jim vida à longs traits la tasse qu'il tenait à la main et la posa au fond de l'évier.

— Je serai de retour à 17 heures, marmonna-t-il avant de quitter la cuisine sans se retourner.

« Quelle idée j'ai eue de me fiancer avec lui ! se reprocha Teresa en jetant un œil par la fenêtre et en le voyant dévaler le perron. Depuis que j'ai accepté de l'épouser, il n'a pas cherché une seule fois à m'embrasser, ce qui prouve bien que je ne l'attire pas. »

Après avoir grignoté un toast sans grand appétit et bu deux gorgées de chocolat, elle alla s'asseoir sur le canapé et tressaillit lorsque le téléphone se mit à sonner.

— Allô, mademoiselle Tyler ! lança une voix gutturale au bout du fil. Je suis Jack Brown, l'expert de votre compagnie d'assurances. Il faut que nous nous rencontrions au plus vite pour discuter de votre déclaration de vol. La police a retrouvé votre break, mais, comme il est hors d'usage, nous vous le rembourserons au prix de l'Argus. En ce qui concerne les dégâts causés par le cambrioleur à votre domicile, nous envisageons de vous verser une indemnité forfaitaire de treize mille dollars. Ce montant vous semble-t-il correct ?

— Oui, répondit Teresa.

— Quand pourrai-je vous apporter le chèque ?

— Dès maintenant, si vous voulez. J'habite chez M. Schofield, au 37 bis, Maple Lane.

— Très bien ! Je serai là dans un quart d'heure.

A peine Teresa avait-elle salué son correspondant et raccroché que la sonnerie du téléphone la fit de nouveau sursauter.

— Avec qui étais-tu en ligne ? lui demanda Jim du ton d'un magistrat interrogeant un suspect.

— Avec un expert en assurances. Il m'a dit qu'il allait passer me voir ce matin et que je toucherais treize mille dollars à titre de dédommagement.

— Ne signe aucun des papiers qu'il te présentera, lui ordonna-t-il. J'annule mes rendez-vous et j'arrive.

11.

Persuadé que Teresa allait se faire escroquer s'il ne volait pas à son secours *illico presto*, Jim descendit Maple Lane à la vitesse de l'éclair, puis s'arrêta net au pied d'un platane et jaillit de son 4x4 à la vitesse de la lumière.

— Où es-tu, Tess ? hurla-t-il en poussant des deux mains la porte du vestibule.

— Dans le salon, répondit-elle calmement. Je t'attendais.

— Bonjour, monsieur Schofield, lança à Jim l'homme qui était assis au coin de la cheminée. Je m'appelle Jack Brown et je représente la compagnie auprès de laquelle Mlle Tyler a souscrit une police multirisque. Je suis venu régler avec elle certains points de détail concernant son indemnisation.

— Pourriez-vous me montrer les documents que vous avez rédigés ? demanda Jim. J'aimerais y jeter un œil.

— Pourquoi ?

— Parce que les assureurs ont la fâcheuse habitude de sous-évaluer les préjudices qu'ont subis leurs clients. Comme je suis le fiancé de Mlle Tyler et qu'il est de mon devoir de défendre ses intérêts, je voudrais être certain que vous n'allez pas abuser de sa crédulité.

— Jim, voyons ! s'écria Teresa, au comble de l'embarras. La somme qu'envisage de me verser M. Brown est tout à fait raisonnable.

— Qu'est-ce qui te permet de l'affirmer, Tess ? Tu ne connais rien aux chiffres.

— Et toi, tu es tellement compliqué que tu adores chercher des problèmes là où il n'y en a pas.

— Autorisez-vous M. Schofield à étudier votre dossier ? demanda l'expert à la jeune femme.

— Oui, répondit-elle après une seconde d'hésitation. Donnez-le-lui et finissons-en.

Jim empoigna la liasse de papiers qui encombrait la table du salon et se plongea dans la lecture des devis estimatifs.

— Avez-vous trouvé la moindre irrégularité ? lui demanda Jack Brown quelques minutes plus tard.

— Non. Je… je suis désolé de m'être monté la tête.

— Ne vous excusez pas. Il est normal que vous ayez été bouleversé par ce qui est arrivé à votre fiancée et que vous preniez ses intérêts à cœur.

— Où dois-je signer, monsieur Brown ? questionna Teresa d'un ton impatient.

— Ici, répondit-il, un doigt pointé vers l'un des feuillets dactylographiés que Jim venait de lui rendre.

Puis, dès qu'elle eut paraphé le document, il sortit un chèque de son attaché-case et le lui tendit.

— Au revoir, mademoiselle Tyler, ajouta-t-il en se levant. J'espère que, grâce à cet argent, vous pourrez réintégrer votre domicile et oublier l'épreuve que vous avez traversée.

— Merci, lâcha-t-elle avec un sourire. M. Schofield va vous raccompagner.

Lorsque Jim revint dans le salon après avoir reconduit l'expert jusqu'en haut du perron, Teresa lui lança un regard assassin.

— Au cas où tu l'ignorerais, déclara-t-elle avec froideur, je te signale que les femmes enceintes ne sont pas plus stupides que les autres. Si mon assureur avait essayé de m'escroquer, je m'en serais aperçue.

— Pardon de m'être emballé, bougonna-t-il, mais j'ai cru bien faire.

— La prochaine fois que tu te prendras pour Zorro et que tu me traiteras comme une arriérée, je t'étranglerai.

— Maintenant que tu m'as dit tout ce que tu avais sur le cœur, pourrions-nous enterrer la hache de guerre ?

— Retourne travailler et nous en reparlerons ce soir, à tête reposée.

— Quand ma mère doit-elle venir te chercher ?

— Dans un quart d'heure.

— Ce qui nous laisse juste le temps de conclure une trêve.

Feignant d'ignorer le regard meurtrier que lui décochait Teresa, Jim la souleva dans ses bras, puis l'emmena au fond de la cuisine et remplit deux mazagrans de lait froid.

— C'est parce que nous allons avoir des jumeaux que tu veux m'obliger à avaler une double dose de calcium ? s'enquit-elle d'un ton sarcastique.

— Non, la détrompa-t-il en lui offrant l'une des tasses. J'ai besoin de prendre des forces, moi aussi.

— Lorsque tu es entré dans le salon tout à l'heure, je n'ai pas eu l'impression que tu étais anémié, bien au contraire ! A te voir traverser la pièce d'un pas martial, on aurait cru que tu rêvais de te jeter sur ce pauvre M. Brown et de le trucider.

— A quoi va te servir l'argent qu'il t'a donné ? demanda Jim pour changer de sujet.

— A payer le menuisier dont tu m'as parlé et à engager un peintre.

— Une fois que les dégâts seront réparés, que feras-tu de ton pavillon ?

— Je ne sais pas.

Jim vida son mazagran à longues gorgées, puis glissa un œil par la fenêtre et sourit.

— Miracle ! s'exclama-t-il. Son Altesse Evelyn Schofield est à l'heure.

— Au lieu de te moquer d'elle, dépêche-toi d'aller lui ouvrir, maugréa Teresa juste avant que son téléphone ne se mette à sonner.

— Coucou, c'est Tommie ! annonça sa sœur. As-tu l'intention de vendre ta maison ?

— Je n'ai encore rien décidé, répliqua Teresa, étonnée que son modeste trois-pièces suscite brusquement un tel intérêt. Pourquoi me demandes-tu cela ?

— Parce que je connais quelqu'un qui aimerait acheter une villa à Westside et que la tienne correspond à ce que cette personne recherche.

— Tu oublies que le rez-de-chaussée est dans un piteux état.

— Peu importe que les murs soient à repeindre ! Le mari de ma cliente est artisan et se chargera lui-même des travaux. As-tu été dédommagée ?

— Oui. Un représentant de ma compagnie d'assurances est venu me donner un chèque de treize mille dollars ce matin.

— Place cet argent à la caisse d'épargne au lieu de faire réparer les dégâts, lui conseilla sa sœur. Il te sera utile une fois que les jumeaux seront nés.

— Tu as raison. Mme Schofield va me conduire à ton agence et je te prêterai mes nouvelles clés.

— Que vous ont dit les médecins ? interrogea Evelyn en sortant de l'hôpital une heure plus tard et en aidant Teresa à s'asseoir dans sa Lamborghini.

— Que je pourrais marcher avec des béquilles dorénavant et que ma plaie cicatrisait bien. J'espère qu'ils me retireront les fils la semaine prochaine, car je n'ai pas envie de ressembler à la fiancée de Frankenstein.

— Ne vous inquiétez pas, vous serez une très jolie mariée.

— Et vous, la meilleure des belles-mères.

— Oh ! je n'aurai aucun mérite à l'être. J'aime

trop mes enfants pour ne pas accueillir leurs épouses à bras ouverts. Tout ce que je souhaite, c'est que Jim et vous soyez heureux ensemble.

— Nous le serons, je vous le promets, mentit Teresa.

— Etes-vous amoureuse de lui ?

— Oui, confessa la jeune femme dès qu'Evelyn eut quitté le parking et pris la direction du centre-ville. Follement.

— Dans ce cas, allons choisir la robe que vous porterez le jour de vos noces. Pendant que les médecins vous examinaient, j'ai téléphoné à Jane Peters, la responsable des ventes de Neiman's, et elle m'a dit qu'elle nous montrerait sa collection.

— Les modèles que j'ai vus la dernière fois que je suis passée devant la vitrine étaient hors de prix.

— Ne vous préoccupez pas de cela, ma chère petite ! J'ai plus d'argent qu'il ne m'en faut et je réglerai moi-même la facture.

Sourde aux protestations de Teresa, Evelyn se gara le long d'un square et guida la jeune femme vers le magasin.

— Je vous présente Teresa Tyler, ma future belle-fille, lança-t-elle à l'employée qui accourait à leur rencontre.

— Quelle taille faites-vous, mademoiselle ? s'informa Jane Peters.

— Comme je suis enceinte et que j'ai grossi de six ou sept kilos, je n'en ai pas la moindre idée.

— Ce n'est pas un problème, rassurez-vous. Certaines de nos robes ont été conçues pour masquer les rondeurs et vous siéront à ravir. Venez dans le salon d'essayage, je vais vous les montrer.

« Neuf jours, songea Teresa le jeudi de la semaine suivante. Il y a déjà neuf jours, une heure, vingt-cinq minutes et trente-quatre secondes que j'ai accepté d'épouser Jim, mais à aucun moment il ne m'a dit que je lui plaisais. S'il n'éprouve rien d'autre à mon égard qu'une banale amitié, ai-je eu raison de… »

Arrachée à ses tristes pensées par la sonnerie du téléphone, elle souleva le combiné d'une main lasse et jeta un « allô » presque inaudible dans le micro.

— C'est vous, Tess ? demanda à l'autre bout du fil une voix aux accents familiers.

— Quel plaisir de vous avoir en ligne, madame Patterson ! s'exclama Teresa. D'où m'appelez-vous ?

— De Dallas. Depuis que j'ai quitté Westside, j'habite chez mon fils aîné.

— Comment trouvez-vous votre nouvelle vie ?

— Mille fois plus intéressante que je ne l'imaginais. Chaque jour, j'aide mes petits-enfants à étudier leurs leçons, et grâce à eux, j'ai fait de gros progrès en géographie.

— Je suis contente que vous ne regrettiez pas d'avoir déménagé.

— Et vous, Tess, que devenez-vous ?

— J'ai accepté d'épouser le père de mes enfants.

— C'est formidable ! s'exclama Mme Patterson. Quand aura lieu la cérémonie ?

— Dimanche, à 11 heures. Pourrez-vous y assister ?

— Bien sûr ! Pour rien au monde je ne voudrais manquer votre mariage.

Le matin de ses noces, Teresa se leva aux aurores et alla admirer les magnifiques gerbes de roses qu'un livreur avait apportées à Sweet Haven la veille au soir. Jaillissant de vases en cristal de Bohême que le soleil habillait de reflets irisés, des dizaines de fleurs dressaient leurs pétales veloutés vers les lustres du salon et repeignaient les murs en jaune safran.

— Tu es déjà debout ? s'étonna Jim après avoir rejoint la jeune femme à l'entrée du séjour.

— Oui. Je me suis réveillée tôt et je n'ai pas réussi à me rendormir.

— Qu'as-tu fait de tes béquilles ?

— Comme je n'en avais plus besoin, je les ai laissées dans ma chambre.

— As-tu encore mal à la cheville ?

— Un peu, mais les médecins m'ont dit de ne pas m'inquiéter si j'avais des élancements la première fois que je remarcherais.

— Dommage que tu sois guérie, car j'aimais beaucoup te porter dans mes bras.

« Et moi, j'adorais que tu me serres contre ton cœur », se retint d'avouer Teresa.

— Viens, dit-elle à Jim en l'entraînant d'autorité vers la cuisine, je vais préparer le petit déjeuner.

— Tu t'en sens capable ?

— Absolument. Que préfères-tu ? Des crêpes au bacon ou des tartines de confiture ?

— Des crêpes au bacon. Quand j'étais enfant, ma mère ne me servait que du porridge le matin et j'étais jaloux de mes copains de classe qui, eux, pouvaient manger tout ce qui leur plaisait.

— Pendant que je casse les œufs, fais chauffer de l'eau. Je boirais bien une tasse de thé.

— Vos désirs sont des ordres, mademoiselle, se moqua Jim avant d'obtempérer.

— Es-tu sûr que... que nous ayons pris la bonne décision ? lui demanda Teresa dès que la bouilloire se mit à chanter.

— A quel sujet ?

— Au sujet de notre mariage. Ce soir, une fois que nos invités seront partis, ne regretterons-nous pas d'avoir dû dire adieu à notre liberté ?

— Non, répondit Jim avec détermination. Nous allons fonder une très belle famille, tu verras.

Lorsque les employés du traiteur qu'avait choisi Evelyn arrivèrent à Sweet Haven au milieu de la matinée, Jim leur montra où se trouvait la cuisine, puis retourna accueillir Pete en haut du perron et l'entraîna vers sa chambre.

— Dans moins d'une heure, je quitterai le club des célibataires endurcis comme tu l'as fait au mois de juillet, déclara-t-il en enfilant une chemise à plastron et un smoking. N'est-ce pas formidable ?

— Si, acquiesça son frère. Tess sera une merveilleuse épouse.

— Et la plus gentille des mamans.

— Lui as-tu avoué que tu étais fou d'elle et que ce n'était pas seulement à cause des jumeaux que tu lui avais demandé sa main ?

— Qui t'a dit que je l'aimais ?

— Mon petit doigt. Et cela m'étonnerait qu'il se soit trompé.

— Pourquoi faut-il toujours que tu remettes le même sujet sur le tapis ? demanda Jim en soupirant.

— Parce que je tiens à toi et que je voudrais te voir heureux.

— Je le serai, n'aie crainte.

— Ah ! vous êtes là, les enfants, s'écria Evelyn lorsqu'ils entrèrent dans la cuisine l'un à la suite de l'autre.

— J'étais en train de m'habiller, lui expliqua Jim.

— Où est Tommie ? interrogea Pete.

— Avec Tess, déclara sa mère. Elle l'aide à revêtir sa robe de mariée.

— Et Tabitha, que fait-elle ?

— Elle les a rejointes il y a cinq minutes.

— Est-elle venue accompagnée ?

— Non.

— Si nous ne voulons pas qu'elle se morfonde

jusqu'à la fin de la journée, il faudra que nous lui trouvions un séduisant cavalier.

— C'est dommage que je n'aie pas un troisième fils, car je l'aurais poussée dans ses bras, remarqua Evelyn.

— On te reconnaît bien là, maman, ironisèrent Jim et Pete.

Puis, laissant leur mère s'occuper des derniers préparatifs, ils allèrent accueillir Ann, Joël, Gloria Patterson et le révérend Warren Shepherd.

— Va dire à Tess que le pasteur est arrivé et que la cérémonie peut commencer, glissa Jim à Pete.

— Entendu, jeta celui-ci avant de longer le couloir et de frapper à la porte de la chambre où s'étaient enfermées Teresa et ses sœurs. Tout est en ordre ? demanda-t-il à sa femme dès que Tabitha et elle eurent quitté la pièce.

— Je l'espère, murmura Tommie.

Mais quand les invités eurent pris place dans le salon et que les premières notes de la *Marche nuptiale* s'élevèrent sous les poutres en chêne massif du plafond, le hall aux cloisons enguirlandées de tulle que la future mariée aurait dû traverser d'un pas solennel resta obstinément vide.

12.

Tommie quitta discrètement le salon et se précipita vers la chambre de Teresa.

— Qu'est-ce qui ne va pas ? demanda-t-elle à sa sœur en la voyant sangloter sur son lit.

— Je n'arrive pas à mettre mes chaussures.

— Quand les as-tu portées pour la dernière fois ?

— Le jour de ton mariage. A ce moment-là elles m'allaient très bien, mais ce matin, on dirait qu'elles ont rétréci de moitié.

— Il n'y en a pas d'autres au fond de tes placards qui pourraient faire l'affaire ?

— Non. Ce sont les seules qui soient assorties à ma robe.

— Si tu en choisis des rouges ou des bleues, Jim ne le remarquera même pas.

— Tu parles ! Tout le monde pensera que j'ai l'air d'un clown et lui le premier.

— Tu te trompes. Il est tellement impatient de t'épouser qu'il se moquera de la couleur de tes…

— Que se passe-t-il ici ? interrompit Ann en entrant à son tour dans la chambre.

— Tess n'arrive pas à mettre ses escarpins, lui expliqua Tommie.

— Rien d'étonnant à cela ! Lorsque j'étais enceinte de vous, j'étais obligée de porter des tongs en permanence parce que mes jambes ressemblaient à des poteaux et que j'avais gagné deux pointures. Moi qui chaussais du 38, je ne pouvais plus entrer que dans du 40.

— Qu'est-ce que… qu'est-ce que je dois faire ? balbutia Teresa, de plus en plus paniquée.

— Cesser de t'apitoyer sur ton sort et aller rejoindre ton fiancé en tennis ou pieds nus, lança sa mère d'un ton ferme. Le pauvre s'imagine que tu as changé d'avis et que tu refuses de l'épouser.

— Retourne auprès de lui et préviens-le que je n'en ai que pour quelques minutes, lui demanda Tess en reprenant contenance.

— D'accord. Je vais demander à Tabitha de repasser le disque que tu as choisi, et dès que tu entendras les premières notes de la *Marche nuptiale*, tu traverseras le hall comme prévu.

— Sois tranquille, maman, je ne me défilerai pas.

— Encore heureux ! Si tu laissais tomber Jim aujourd'hui, tu lui infligerais une terrible humiliation.

— Je le sais.

— Dépêche-toi, alors, d'essuyer tes yeux et de te refaire une beauté, dit Ann avant de prendre Tommie par la taille et de l'entraîner vers le couloir.

Une fois seule, Teresa se leva de son lit avec un soupir et repoudra ses paupières gonflées de larmes. Puis, pieds nus, elle alla jurer amour et fidélité au père de ses enfants.

Quand les employés du traiteur et les invités eurent quitté un à un Sweet Haven, la maison parut d'autant plus vide à Teresa que Jim semblait avoir un mal fou à tenir son rôle de jeune marié. Au lieu de la serrer contre lui et de l'embrasser à perdre haleine, il la raccompagna en silence jusqu'à la porte de sa chambre et la salua d'une rapide inclination du buste.

Après avoir retiré la jolie robe immaculée qui, tout au long de la journée, lui avait donné l'agréable illusion d'avoir trouvé le bonheur absolu dont elle rêvait, elle la lança sur le dossier d'une bergère et, le cœur lourd, regarda les pans de satin se replier dans un léger bruissement, comme les ailes d'un papillon fatigué.

— J'ai dû boire trop de café à la fin du banquet, grommela Jim en se tournant et en se retournant entre ses draps.

Lorsqu'il avait pris congé de Teresa à minuit passé, il avait senti monter en lui une envie irraisonnée de cueillir sur les lèvres de la jeune femme un interminable baiser. Mais de crainte de l'effaroucher s'il se permettait la moindre privauté, il avait résisté à la tentation.

« Ce qu'il faut, c'est que je me montre patient et que je la laisse s'habituer à sa nouvelle vie », se dit-il avant de fermer les yeux et de chercher désespérément le sommeil.

— J'aurais mieux fait de me briser les deux jambes plutôt que de me marier, maugréa Teresa une semaine plus tard.

Depuis qu'elle avait épousé Jim, il jouait les courants d'air. Chaque matin, il se levait à l'aube pour éviter de déjeuner en sa compagnie et partait aussitôt travailler à l'autre bout de la ville. Le soir, il s'éternisait dans son bureau, prétextant des rendez-vous nocturnes avec des clients, et ne rentrait à Sweet Haven qu'à la tombée de la nuit, quand elle avait fini de dîner.

« Grâce au gros chèque que m'a donné mon assureur et aux dizaines de milliers de dollars que m'a rapportées la vente de ma maison, je vais pouvoir remplacer mon vieux break, louer un bel appartement dans un quartier résidentiel et reprendre ma liberté, songea Teresa en s'asseyant à la table de la cuisine et en regardant tristement la tasse de thé qu'elle tenait à la main. Comme je suis toute seule à longueur de temps, personne ne s'apercevra que j'épluche les petites annonces. Dès que j'aurai trouvé une voiture d'occasion et un F3 meublé, je laisserai un mot à Jim et je partirai d'ici sans lui indiquer ma nouvelle adresse. »

— Trop, c'est trop ! s'exclama Jim le vendredi de la semaine suivante.

A force de travailler pour oublier ses rêves de baisers torrides et d'étreintes passionnées, il avait l'impression d'être devenu un robot.

— Si je ne veux pas que Tess me reproche un jour de l'avoir négligée pendant notre lune de miel, marmonna-t-il avant de quitter son bureau et de se mettre au volant de son 4x4, il va falloir que je lui parle.

Quand il arriva à Sweet Haven, la maison était plongée dans l'obscurité et aucun ruban de fumée ne s'élevait de la cheminée.

« Tess doit s'être endormie », se dit-il en ouvrant la porte d'entrée.

Cependant, lorsqu'il franchit le seuil de la cuisine et qu'il alluma le plafonnier, une longue enveloppe blanche, laissée bien en évidence sur un meuble bas, attira son regard.

Après avoir lu et relu la lettre de Teresa, le cœur au ralenti, il sortit son portable de sa poche et composa de mémoire le numéro d'Ann.

— Tess est-elle chez vous, madame Tyler ? interrogea-t-il d'un ton anxieux.

— Non, il y a au moins une semaine que je ne l'ai pas vue, répliqua sa belle-mère. Pourquoi avez-vous l'air aussi inquiet ?

— Parce qu'elle n'était pas là quand je suis arrivé à la maison, expliqua Jim.

— Pete et Tommie l'ont peut-être invitée à dîner.

— Peut-être…

— En cas de problème, n'hésitez pas à me rappeler.

— Entendu. Veuillez m'excuser de vous avoir dérangée.

Fou d'angoisse, Jim salua Ann puis téléphona à son frère.

— Tess m'a quitté, lui apprit-il sans ambages.

— Comment cela, « quitté » ? demanda Pete, abasourdi.

— Elle m'a laissé un mot et elle est partie.

— Qu'a-t-elle écrit dans ce mot ?

— Qu'elle n'était pas heureuse à Sweet Haven et qu'elle avait besoin de faire le point.

— T'a-t-elle parlé des jumeaux ?

— Oui. Elle m'a promis de m'appeler le jour où elle entrerait à la maternité pour que je vienne la rejoindre et que j'assiste à leur naissance. Lorsque j'ai lu sa lettre, j'ai eu l'impression qu'elle ne voyait en moi que le père de ses enfants.

— Que pourrait-elle penser d'autre d'un obstiné dans ton genre ? s'écria Tommie après avoir arraché le récepteur des mains de Pete. Tel que je te connais, Jim, je parie que tu ne lui as pas encore avoué que tu étais amoureux d'elle.

— Je ne voulais pas brûler les étapes ! se justifia Jim.

— Comme si tu ne les avais pas déjà brûlées en passant une nuit avec elle ! Tu as de la chance que je ne sois pas à Sweet Haven en ce moment, car je te tordrais le cou.

— Crois-tu que j'arriverai à persuader ta sœur de me pardonner ma stupidité ? Et crois-tu qu'elle finira par m'aimer ?

— Il y a des mois qu'elle t'aime à la folie, espèce d'imbécile ! C'est justement pour cette raison qu'elle t'a quitté.

— As-tu la moindre idée de l'endroit où elle s'est réfugiée ?

— Non, mais je suis sûre que nous aurons vite fait de la retrouver.

— Où Tess peut-elle bien se cacher ? maugréa Jim après trois semaines de recherches infructueuses. J'ai téléphoné à toutes les agences immobilières de Fort Worth et personne n'a été capable de me renseigner.

— Avez-vous essayé de joindre son gynécologue ? demanda Ann. Comme elle en est au dernier trimestre de sa grossesse, cela m'étonnerait qu'elle ait changé de médecin depuis son départ de Sweet Haven.

— Le Dr Benson est tenu au secret professionnel, madame Tyler, riposta Jim. Si je lui pose des questions, il refusera d'y répondre.

— C'est moi qui vais l'appeler, décréta Tommie.

Tant qu'à choisir un obstétricien, il vaut mieux que je m'adresse à celui qui s'occupe de Teresa et que je prenne rendez-vous le même jour qu'elle.

— Pourquoi as-tu besoin d'aller consulter, ma chérie ? s'étonna Pete.

— Parce que je crois bien que je suis enceinte, avoua Tommie en rougissant. Je ne voulais pas te l'annoncer avant d'en être certaine, mais vu les circonstances, je préfère t'en parler, quitte à te donner une fausse joie plutôt que de me taire jusqu'à ce que la nouvelle soit confirmée.

Un sourire radieux aux lèvres, Pete traversa le salon où toute la famille Tyler était réunie et serra très fort Tommie dans ses bras.

« Quelle chance ils ont de s'aimer à ce point ! » songea Jim en les regardant échanger un baiser.

— Quand comptes-tu appeler le gynécologue de Tess ? demanda Ann à sa fille.

— Dès maintenant.

Tommie se mit aussitôt à chercher le numéro du médecin dans l'annuaire et décrocha son téléphone.

— Cabinet du Dr Edward Benson, bonsoir, annonça une voix féminine au bout du fil. Kate Stevens à l'appareil.

— Bonsoir, répondit Tommie. Je suis la sœur de

Teresa Schofield, l'une de vos patientes, et j'aimerais venir consulter le même jour qu'elle. Connaissez-vous la date de sa prochaine visite prénatale ?

— Une minute, je vous prie… Elle a rendez-vous le mercredi 1er février, à 15 h 15. Voulez-vous que le Dr Benson vous reçoive à 15 h 30 ?

— Oui, merci.

— Comment vous appelez-vous ?

— Thomasina Schofield.

— C'est noté, madame Schofield. A bientôt.

— Vous avez eu raison de croire que Tess n'avait pas changé de médecin, lança Jim à Ann dès que Tommie eut raccroché. Grâce à vous, je vais enfin pouvoir la retrouver et lui avouer que je suis amoureux d'elle.

— Tâchez de ne pas la faire fuir, cette fois, riposta sa belle-mère d'un ton gentiment grondeur.

— Oh ! n'ayez aucune crainte à ce sujet. J'ai trop souffert ces trois dernières semaines pour prendre le moindre risque.

« J'aurais dû annuler mon rendez-vous et rester chez moi, se dit Teresa lorsque Kate Stevens l'introduisit dans la salle d'attente et qu'elle vit deux futures mamans feuilleter des magazines au fond de la pièce. Le Dr Benson est encore en retard d'une demi-heure et je suis tellement fatiguée que je ne sais pas si j'aurai la force de patienter jusqu'à ce que mon tour vienne. »

Depuis qu'elle avait quitté Sweet Haven, elle passait son temps à somnoler et à pleurer.

— Bonjour, mesdames, dit-elle poliment avant de s'asseoir à gauche de l'entrée et de choisir un hebdomadaire parmi tous ceux qui s'empilaient sur une table basse.

Quand la porte s'ouvrit quelques secondes plus tard, elle leva la tête et n'en crut pas ses yeux. Debout dans l'embrasure de la porte, le visage illuminé d'un sourire, se tenaient Pete et Tommie.

— C'est vous ? leur demanda-t-elle d'une voix à peine audible. C'est bien vous ?

— Oui, confirma sa sœur. Comment vas-tu ?

— Pas mal.

— On ne le dirait pas. Tu as une mine de papier mâché et je parie que tu as perdu du poids.

— Si j'avais maigri, ne serait-ce que d'un kilo, le Dr Benson m'aurait menacée des pires représailles la dernière fois qu'il m'a examinée, répondit Tess en tentant un trait d'humour.

— Jim, lui, n'est pas dans une forme éblouissante, déclara Tommie. Depuis ton départ, il mange très peu et ne dort que trois ou quatre heures par nuit.

— Lorsqu'il se sera habitué à mon absence, il retrouvera son bel appétit et n'aura plus d'insomnies.

— Je n'en suis pas sûre, Tess.

— Et moi encore moins, lança Pete juste avant que Kate Stevens n'appelle les deux futures mamans qui étaient arrivées au cabinet médical en premier.

— Pourquoi es-tu venue consulter le Dr Benson ? demanda Teresa à Tommie dès que les jeunes femmes eurent quitté la salle d'attente.

— Parce que je suis enceinte, annonça Tommie avec un grand sourire.

— Quelle merveilleuse nouvelle ! s'écria Tess. Comme nos enfants n'auront même pas un an d'écart, ils pourront jouer ensemble.

— Chaque fois que nous irons te rendre visite, ce sera amusant de les écouter babiller et de les regarder jongler avec des cubes de bois.

— As-tu déjà souffert de nausées ?

— Non, mais tu m'as tellement parlé des joies de la grossesse que je ne m'inquiéterai pas si j'ai l'estomac barbouillé un beau matin ou si mes pieds se mettent à gonfler.

— Je me demande ce que le révérend Shepherd a pensé quand il s'est aperçu que je ne portais pas de chaussures le dimanche où j'ai épousé Jim, dit Tess en baissant la tête.

— Il s'est probablement dit que tu étais une très jolie mariée et il n'est pas le seul à t'avoir trouvée ravissante, la rassura sa sœur. Lorsque le photographe qu'Evelyn avait engagé est venu nous montrer les clichés qu'il avait pris durant la cérémonie, nous avons été époustouflés par ta grâce et par ton élégance.

— C'est vrai ?

— Tout ce qu'il y a de plus vrai, confirma dans le dos de Teresa une voix chaude qui la fit sursauter.

— Ah ! tu… tu es là, toi aussi, balbutia-t-elle en se retournant.

— Oui, acquiesça Jim, un sourire aux lèvres. J'ai accompagné Pete et Tommie parce que je voulais te parler.

— De quoi ? De l'immense intérêt que tu portes à ton travail ou de notre prochain divorce ?

— Ni de l'un ni de l'autre. J'ai été stupide de passer des journées entières au bureau et je n'ai aucune envie de demander l'annulation de notre mariage, car je t'aime trop pour te laisser m'échapper.

Statufiée sur sa chaise, le cœur battant à coups redoublés, Teresa leva vers Jim un regard où se mêlaient espoir et incertitude.

— Qu'est-ce que tu viens de dire ? lâcha-t-elle dans un murmure.

— Que je t'aimais trop pour te laisser m'échapper, répéta-t-il avant de lui encercler les épaules et de l'aider à se mettre debout. J'aurais dû te l'avouer il y a des semaines, mais je pensais que tu avais besoin de t'habituer à ta nouvelle vie et que tu m'accuserais de vouloir profiter de la situation si j'avais le malheur de te toucher.

— Comment as-tu pu croire une chose pareille après la nuit fantastique que nous avions passée ensemble au mois de juin ?

— Je ne sais pas. Peut-être ai-je craint de…

— C'est à vous, madame Schofield, interrompit Kate Stevens en jaillissant du hall d'accueil. Le Dr Benson va vous recevoir.

— Tu me cèdes ton tour ? lança Tommie à Teresa.

— De bon cœur, riposta cette dernière, les yeux pleins d'étoiles.

Puis, dès que sa sœur et son beau-frère se furent éloignés, elle échangea avec Jim le plus doux des baisers.

— Rentrons à la maison, mon ange, lui glissa-t-il à l'oreille quand, à regret, leurs bouches se furent désunies.

— Pas déjà, protesta-t-elle. Il faut d'abord que je parle au médecin.

— Quand il t'aura examinée, reviendras-tu habiter à Sweet Haven ?

— Oui, mais es-tu certain de le vouloir ?

— Si je n'ai pas réussi à te convaincre de ma sincérité, c'est parce que j'ai dû mal me débrouiller jusqu'à maintenant. Tends-moi tes lèvres encore une fois et je vais te montrer à quel point je t'aime.

— Oh, surtout pas ! Je n'ai aucune envie que l'infirmière du Dr Benson soit témoin de la scène et qu'elle nous accuse d'outrage à la pudeur ! répondit Tess avec humour.

Jim s'inclina vers elle et lui effleura le front d'un baiser.

— Pourras-tu me pardonner un jour de t'avoir fait souffrir ? lui demanda-t-il.

— D'autant plus facilement que tu n'es pas le seul à blâmer, répondit-elle. En me jetant à ton cou fin juin, je savais que je prenais des risques.

— Si ma mémoire est exacte, tu n'as pas eu besoin de déployer des trésors d'ingéniosité pour me séduire. Cette nuit-là, nous avons trouvé dans les bras l'un de l'autre le bonheur idéal dont nous rêvions et nous avons conçu deux adorables petits garçons avec lesquels nous formerons bientôt une vraie famille.

Épilogue

Un mois et demi plus tard

— Il est temps d'y aller, Jim, déclara Teresa dans son téléphone portable.

— D'aller où, ma chérie ? questionna-t-il distraitement en parcourant du regard le dossier que son associé venait de lui transmettre.

— A la maternité.

— Il est encore trop tôt, voyons ! Nous ne sommes que le 15 mars.

— Je le sais bien, mais nos enfants, eux, ont l'air de l'ignorer.

— As-tu réussi à joindre le Dr Benson ?

— Oui. Et quand je lui ai dit que j'étais en train de perdre les eaux, il m'a conseillé de te téléphoner pour que tu m'emmènes de toute urgence à l'hôpital.

— Ne bouge pas, j'arrive.

Pris d'une soudaine frénésie, Jim quitta son bureau

comme une tornade, puis se glissa derrière le volant de son 4x4 et se précipita vers Sweet Haven.

— As-tu mal ? s'inquiéta-t-il lorsque Teresa et lui entrèrent dans la salle de travail une demi-heure plus tard.

— Pas trop, le rassura-t-elle.

— Sortez d'ici, monsieur Schofield, ordonna la sage-femme d'un ton impérieux, et allez vous dégourdir les jambes au fond du couloir. Dès que l'obstétricien aura examiné votre épouse, nous vous appellerons.

Après avoir effleuré d'une longue caresse les cheveux de sa femme, Jim emprunta le couloir qui menait au distributeur automatique de boissons et se crut le jouet d'une hallucination. Massés autour de l'appareil, Pete, Tommie, Evelyn, Ann, Joël et Tabitha trompaient leur nervosité en sirotant du thé glacé.

— Comment avez-vous appris que Tess était entrée à la maternité ? leur demanda-t-il.

— Elle m'a téléphoné à l'agence, expliqua Tommie, et j'ai prévenu tout le monde.

— Tu as bien fait. Quand elle m'a dit qu'elle avait perdu les eaux, j'ai été tellement sidéré que je n'ai pas songé à avertir la famille.

— L'été prochain, je serai sans doute dans le même état que toi, lança Pete à son frère.

— Sais-tu si c'est un garçon ou une fille que Tommie attend ? l'interrogea Jim.

— Oui. A moins que l'échographiste ne se soit trompée, tes jumeaux auront une petite cousine.

— Formidable ! s'écria Jim. Dès qu'elle sera en âge de marcher, ils s'amuseront avec elle et la...

— Venez, monsieur Schofield, ordonna la sage-femme. Vos enfants ont l'air pressés de voir le jour.

Le cœur au galop, Jim se rua vers la salle de travail et emprisonna entre les siennes les mains de Teresa.

— Je croyais que tu avais quitté l'hôpital, murmura-t-elle en grimaçant de douleur.

— Tu dis n'importe quoi, se récria-t-il avec une feinte indignation. Je t'aime tellement qu'il aurait fallu me ligoter aux barreaux de l'escalier pour m'empêcher d'accourir à ton chevet.

— Poussez, madame Schofield, la pressa le Dr Benson. Poussez ! Poussez ! Poussez... Bravo ! J'aperçois déjà votre premier bébé.

— Regarde, mon amour, chuchota Jim un peu plus tard, quand un infirmier déposa dans les bras de Teresa les deux petits anges qu'elle avait mis au monde. Regarde comme nos fils sont beaux !

— C'est normal : ils ressemblent à leur merveilleux papa.

— Et à leur jolie maman.

— J'ai eu de la chance de te rencontrer, car je n'aurais voulu d'aucun autre mari que toi.

Jim pencha la tête et cueillit sur les lèvres de Teresa un tendre baiser.

Chère lectrice,

Vous nous êtes fidèle depuis longtemps?
Vous venez de faire notre connaissance?

C'est pour votre plaisir que nous avons imaginé un rendez-vous chaque mois avec vos auteurs préférés, vos AUTEURS VEDETTE dans les collections Azur et Horizon.

Les AUTEURS VEDETTE vous donneront rendez-vous pour de nouveaux livres vedette.

Pour les reconnaître, cherchez l'étoile... Elle vous guidera!

Éditions Harlequin

LE FORUM DES LECTEURS ET LECTRICES

CHERS(ES) LECTEURS ET LECTRICES,

VOUS NOUS ETES FIDÈLES DEPUIS LONGTEMPS?

VOUS VENEZ DE FAIRE NOTRE CONNAISSANCE?

SI VOUS AVEZ DES COMMENTAIRES, DES CRITIQUES À FORMULER, DES SUGGESTIONS À OFFRIR, N'HÉSITEZ PAS… ÉCRIVEZ-NOUS À:

LES ENTERPRISES HARLEQUIN LTÉE.
498 RUE ODILE
FABREVILLE, LAVAL, QUÉBEC.
H7R 5X1

C'EST AVEC VOS PRÉCIEUX COMMENTAIRES QUE NOUS ALLONS POUVOIR MIEUX VOUS SERVIR.

DE PLUS, SI VOUS DÉSIREZ RECEVOIR UNE OU PLUSIEURS DE VOS SÉRIES HARLEQUIN PRÉFÉRÉE(S) À VOTRE DOMICILE, NE TARDEZ PAS À CONTACTER LE SERVICE D'ABONNEMENT; EN APPELANT AU (514) 875-4444 (RÉGION DE MONTRÉAL) OU 1-800-667-4444 (EXTÉRIEUR DE MONTRÉAL) OU TÉLÉCOPIEUR (514) 523-4444 OU COURRIER ELECTRONIQUE: AQCOURRIER@ABONNEMENT.QC.CA OU EN ÉCRIVANT À:

ABONNEMENT QUÉBEC
525 RUE LOUIS-PASTEUR
BOUCHERVILLE, QUÉBEC
J4B 8E7

MERCI, À L'AVANCE, DE VOTRE COOPÉRATION.

BONNE LECTURE.

HARLEQUIN.

VOTRE PASSEPORT POUR LE MONDE DE L'AMOUR.

L'ASTROLOGIE EN DIRECT
TOUT AU LONG
DE L'ANNÉE.

Composé et édité par les
éditions Harlequin
Achevé d'imprimer en octobre 2006

à Saint-Amand-Montrond (Cher)
Dépôt légal : novembre 2006
N° d'imprimeur : 61980 — N° d'éditeur : 12451

Imprimé en France